影响世界的人

马可·波罗

艾黎 著　林丽芬 绘

译林出版社

图书在版编目(CIP)数据

马可·波罗 / 艾黎著. —南京：译林出版社，2013.10
（影响世界的人）
ISBN 978-7-5447-4265-8

Ⅰ. ①马… Ⅱ. ①艾… Ⅲ. ①马可·波罗（1254~1324）-传记-少儿读物 Ⅳ. ①K835.465.89-49

中国版本图书馆CIP数据核字（2013）第192837号

书　　名　马可·波罗
作　　者　艾　黎
责任编辑　王玉强
原文出版　联经出版事业公司
出版发行　凤凰出版传媒股份有限公司
　　　　　译林出版社
出版社地址　南京市湖南路1号A楼，邮编：210009
电子邮箱　yilin@yilin.com
出版社网址　http://www.yilin.com
经　　销　凤凰出版传媒股份有限公司
印　　刷　江苏凤凰盐城印刷有限公司
开　　本　889毫米×635毫米 1/16
印　　张　11.25
插　　页　4
字　　数　98千
版　　次　2013年10月第1版 2013年10月第1次印刷
书　　号　ISBN 978-7-5447-4265-8
定　　价　25.00元

导读

王品集团董事长
戴胜益

"一辈子应该去一百个国家、攀登一百座高峰、光临一百家餐厅。"这是我亲身奉行的主张,也是我经常鼓励员工的话。

造访不同的国度,可以领略迥异的风俗民情。在那样的过程里,我们可以观察不同的地方,也可以看见相同的所在。哦!原来我们可以从这样的角度思考事情;原来我们可以用那样的方法解决问题;原来我们不了解的世界,居然如此宽广……因此,旅行,无疑是拓展视野的好方法,更是让我们增长智慧的好机会。

攀登百岳,不仅为了运动健身,更为了亲近大自然。置身大自然的喜悦与感动,难以言喻。群山叠翠、参天巨木、庞然怪石……大自然之美与奇,往往超越我们的想象,必须亲身经历,才能深刻体会。

光临百家餐厅,除了本身专业上的考虑之外,透过品尝各种美食、感受餐厅服务,我们可以体察到厨师们烹调食物的诚意与艺术,以及餐饮业者提供服务的热忱与用心。这也是学习，是人与人之间互动的学习。

异地之旅、攀登高峰、遍尝美食，最迷人的地方，就是去体验未知的世界；因此，冒险的精神就是最重要的条件。踏出原本熟悉的领域，并不是一件容易的事情，但为了了解更多、体验更深，适度的冒险，正是人格成熟的重要关键。

本书的主人翁——马可·波罗，十七岁即陪同父亲及叔叔前往充满未知的东方世界，其冒险精神可见一斑。在当时的年代，交通不便、信息不通，沿途险路奇多，盗贼随时出没，走一趟东方世界，必须花费两三年，甚至更久的时间。我们很难想象个中万般艰辛，却多少能够体会舟车劳顿之苦。一路上，马可就像海绵一般，积极学习及应用各国语言，吸收游历各地的所见所闻，丰富的经历，让他的人生格外精彩，他所完成的不仅仅是东方之旅，更是一场截然不同的人生之旅。

难能可贵的是，马可·波罗返回故乡意大利之后，在因缘际会下，透过作家朋友之笔，写下了震惊西方世界的《马可·波罗游记》。不可讳言，马可·波罗的穿针引线，着实为东西方世界大大地开启了一扇窗。当年哥伦布就是受到《马可·波罗游记》的影响，才会起心动念，决心踏上新大陆的发现之旅，显见马可·波罗对世人的影响既深且远。

马可·波罗造访中国的时期，正值元朝的忽必烈大汗在位期间。因此，从这本书中，我们不仅可以跟随马可·波罗的脚步，从意大利

威尼斯展开一连串充满惊奇的东方之旅；更可以借由他的观察，一窥古代元朝奢华大气的宫廷生活、令人惊叹的律令制度，以及寻常百姓的生活样貌。我们可以在字里行间穿越时空，发现截然不同的新世界。

马可·波罗的故事，在历史上写下了精彩的一页。在欣赏与赞叹之余，读者诸君也别忘了怀抱着冒险的精神，勇敢实现自己的梦想，为生命旅程写下动人的诗篇！

目录 CONTENTS

第一章 序曲 001

见面不相识的父亲 002

不可思议的际遇 004

第二章 东行历险记 009

大亚美尼亚的方舟山 009

贪心的巴格达国王 014

波斯人的拜火传奇 019

卡曼杜城的印度妖法 026

忽鲁莫思城的热风 031

邪恶的山中老人 036

巴拉香王国的一年 042

冰封大地的世界屋脊 047

第三章 进入大汗的管辖之地 053

撒马尔干的神奇石柱 053

罗布镇的沙漠恶灵 057
沙州人的出生与死亡 061
赤斤塔拉城的火蜥蜴 064
飞马传书的驿站 068
鞑靼人最早的都城 072
张家诺城的大鹏鸪鸟 077

第四章 觐见忽必烈大汗 081

金碧辉煌的上都皇宫 081
充满惊奇的宫廷生活 086
壮丽宏大的大都皇宫 091
忽必烈大汗的生日宴会 095
洁白祥和的新年庆典 099
热闹非凡的打猎季节 104

第五章 奉命出使中国各地 111

西南各地考察之旅 111
吐蕃商旅驱赶野兽妙招 116
哈喇章州的捕蛇机关 120
襄阳城的投石器大战 126

令人流连忘返的京师城 130
怪鸟传说的楚伽王国 136

第六章 归乡之旅 141

归乡船队正式启航 141
小爪哇岛的荒野传奇 147
锡兰岛的佛教圣山 151
马拉巴王国的海盗 156
返乡完成《马可·波罗游记》 162

马可·波罗重要记事 169
后记 171

第一章 序曲

公元1260年，中国正值蒙古帝国的极盛时期，当时的皇帝是元世祖，也就是忽必烈大汗。他对西方世界充满了好奇。同样，西方人对于东方的中国，也怀抱着探险的热情。

出生于意大利威尼斯的马可·波罗，当时正值青春年少的十七岁，与父亲尼古拉·波罗及叔叔马飞欧·波罗三人，秉持着坚强的毅力以及无比的勇气，不仅踏上东方的土地，甚至在中国当官、四处游历，总共待了18年，然后才踏上归乡的旅途。

马可·波罗出生的年代，距离现在是700多年，当时交通并不发达。位于西方的欧洲人，对于广大的东方世界了解不多；雄霸东方的蒙古人，对于西方世界的了解，也是少之又少。然而，尽管东西方路途遥远、交通阻隔，仍然无法阻挡人们想要更进一步了解这个世界的想法。

为了让大家更了解东方世界，马可在作家朋友的协助下，将这些年来的所见所闻写下来，书名就叫作《马可·波罗游记》，也称作《东方见闻录》。这本书对西方世界的影响非常大，举世闻名的哥伦布，就是受到这本书的影响，才有机会发现美洲新大陆。

见面不相识的父亲

公元 1254 年，马可·波罗在意大利威尼斯呱呱坠地。此地有个浪漫的称号，叫作“水都”。这座城市里布满水道，到处都能看见船只往来，非常美丽。

马可出生之前，父亲尼古拉与叔叔马飞欧正好远赴海外经商。他们在家乡威尼斯买进了许多当地的珍奇珠宝，然后带着这些货品，搭船渡海到君士坦丁堡[1]，再将这些货品卖给那里的人们，从中赚取利润。

出外经商，一去就是十几年。他们完全不了解家乡的情形，甚至不知道马可出生。不幸的是，马可的母亲不久后便因病去世。孤苦伶仃的马可，就在婶婶的呵护与照料下，渐渐长成聪明机警的少年。

这年，马可·波罗十五岁。在某个看似平凡的午后，却发生了不平凡的事情。马可看见两位陌生的中年人，穿着奇装异服，朝着家门口走过来。他跑回家告诉婶婶，婶婶来到门外，望着眼前两位中年人，起初也觉得好奇，但却突然激动起来，眼中泛着泪光。她扯着沙哑

1 君士坦丁堡：即现今土耳其的伊斯坦布尔。

的喉咙说:“快来瞧瞧啊！这是谁回来啦!”

“是我们,没错！是我们！我们就是尼古拉和马飞欧!”说着尼古拉他们便和马可的婶婶抱成一团,沉浸在久别重逢的喜悦中。

马可在一旁看得目瞪口呆,但又仿佛知道了些什么。此时,婶婶总算破涕为笑,伸手把马可拉近身旁,对着尼古拉说:“他就是你的儿子——马可啊!”听到这句话,尼古拉激动地抱紧马可,久久不能放开。

兴奋之余,婶婶开始张罗丰盛的晚餐,为尼古拉与马飞欧接风洗尘。两兄弟也大方地从行囊中取出各色各样的宝物,一一分赠给亲朋好友。此时,尼古拉从行囊里掏出一枚刻着大雕图案的金牌,众人争相欣赏,无不啧啧称奇。

“这是中国皇帝送给我的金牌!”

“哇！怎么这么好？中国皇帝为什么会送你这么好的金牌?”

“因为我们答应他要完成一项任务啊!”

“是什么任务?”“中国皇帝长什么样?”“中国是个什么样的地方?”“你身上穿的是中国的服饰吗?”“这十几年来你们到底去了哪些地方?”“你们到底做了哪些事?”……

面对大家七嘴八舌不停地发问,尼古拉与马飞欧决定把这几年来的故事从头细说。

不可思议的际遇

掰开手指头算一算，尼古拉与马飞欧离乡有十余年的时间。当初离家原本只是为了要将威尼斯的货物带到君士坦丁堡贩卖，顺便打探有无其他生意机会，没想到却开启了一段不可思议的际遇。

“马飞欧啊！我说件事你听听看，”尼古拉说，“你听说过黑海另一边的钦察汗国，有一位大别儿哥汗王吗？”

“哈哈！原来你也听说了。”马飞欧立刻答道，“他非常喜欢来自世界各地的奇珍异宝。对吧？”

“是啊！这么好的生意机会，说不定会让我们大赚一笔哩！”

“我也这么想，那就这么做吧！”

两人达成共识之后，分头四处去购买君士坦丁堡的珍奇珠宝，再加上原先从威尼斯带来的货物，两兄弟就携带这些货品上船，径直穿过黑海。在港口上岸之后，两兄弟来到了一个名叫撒来城的地方，他们设法求见别儿哥汗王。

“这是来自威尼斯的宝物，希望汗王会喜欢！”尼古拉恭敬地呈上各色宝物。

“喜欢！喜欢！”别儿哥汗王笑得合不拢嘴，他开心地说道，“这些宝物我从来没见过！谢谢你们带来这么好的东西！”

果然不出所料，别儿哥汗王大方地赏赐了将近两倍价值的金银珠宝给他们。

兄弟俩满载而归，正打算回君士坦丁堡时，碰巧战争爆发，没办法从原路回去，只好绕道而行。但由于战事不断蔓延，他们只好走走停停，有家归不得，前前后后总共耽搁了三年之久。

正在一筹莫展之际，他们结识了一位中国使者，这才大大地改变了他们此后的命运。

“既然回不去，不如改道而行吧！”中国使者热情地说，“我们忽必烈大汗向来对西方世界相当好奇，一定会非常愿意接见两位外国朋友。如果你们同意的话，我们一定会给予非常隆重的款待，而且绝对能够确保两位的旅途安全。只是不知两位意下如何？”

两兄弟听了非常高兴，彼此对望了一下，心想：“反正暂时也回不去了。如果能趁这个机会见到中国皇帝，倒也是一件新鲜有趣的事哩！”于是，他们当下就兴奋地答应了这个邀约。

两兄弟跟随着中国使者一路翻山越岭、长途跋涉，总算来到中国，觐见了忽必烈大汗。

果然，忽必烈大汗非常隆重地接待他们，甚至特地举办了一场欢迎会。他不断地询问兄弟俩许多问题，比如西方的国王如何治理国家、如何派兵打仗，以及西方的社会和宗教等问题。兄弟俩的中文很好，中国话说得很流利，因此能跟忽必烈大汗对答如流。

忽必烈大汗听了两兄弟对西方世界的描述，真是乐不可支，除了大大赏赐两兄弟之外，还请他们回国之后，务必将一封国书送到罗马教皇手中，然后再回到中国来。

忽必烈大汗从两兄弟的口中得知，欧洲人大都信奉基督教，他希望对此能有更多的了解，于是，在国书中请求教皇派遣100位优秀的基督教徒，日后跟随尼古拉和马飞欧一起造访中国。

“另外，还有一件事要麻烦两位。”忽必烈大汗说，“经过耶路撒冷时，别忘了取一些圣油回来，好让我见识一下吧！”

“是的！遵命！”尼古拉和马飞欧异口同声地说。

忽必烈大汗交代了所有的任务之后，还交给两兄弟一枚金牌。这枚刻有大雕图案的金牌非常好用，在大汗管辖境内的地方官，只要见到这枚金牌，就会负责提供衣食住行等各方面的需求，同时护送金牌持有者前往下一站目的地。

有了金牌护身，兄弟俩一路畅行无阻，但尽管如此，也花了三年的时间，才回到阿克城[1]。好不容易来到这里，他们赶忙去拜访基督教专使并请他转交国书给教皇，但却听到晴天霹雳的消息。

“你们不知道吗？”专使略显尴尬地说，“老教皇才刚过世，新教皇还没选出来呢！”

“天啊！那怎么办呢？我们要如何跟中国的忽必烈大汗报告呢？”

“没办法了！你们只好耐心等一等，等到新教皇选出来再说吧！”

“看来也只好这样了。”

两兄弟虽然感到非常失望，但又想着已经十几年没回家了，实在应该回家一趟，于是决定趁这个等待的空当，回去看看家里的情形。

1 阿克城：位于现今以色列境内。

因此，尼古拉与马飞欧回到了久违的故乡，马可也才第一次有机会见到父亲及叔叔。

此时此刻，全家人正开心地吃着团圆饭，东一句、西一句，气氛好不热闹。

“那位中国皇帝好像很威风哦!”马可·波罗一脸渴望地说道，“真希望可以认识他!”

“真的吗? 你也想去中国吗? 这一路会非常辛苦的。”尼古拉说，“我们从中国的上都[1]回来，要经过大沙漠，还要渡过大海，整整花了三年的时间呢!”

“我不怕! 我一点儿都不怕!”马可瞪大双眼、勇气十足地向父亲询问，“那么，我可以去吗?”

“那好吧! 让你趁这个机会增长见识也不赖!”尼古拉说，“到时候你就跟着我们一起回中国复命，完成忽必烈大汗交代的任务。”

马可听到父亲这么说，高兴地拍手叫喊，一方面因为可以和父亲在一起而开心，另一方面也为这次难以想象的历险机会而兴奋不已。

两年后，新任的罗马教皇终于选出来了，启程前往中国的时候也到了。十七岁的马可·波罗，随着父亲与叔叔，背起行囊，踏上不可预知的东方探险之旅。

---

1 上都：元朝的夏都，位于今内蒙古的多伦县。

第二章 东行历险记

大亚美尼亚的方舟山

尼古拉与马飞欧得知新教皇登基之后，立刻带着马可去拜见新教皇格列高利十世。教皇对于忽必烈大汗的请求，感到相当开心。

“只不过，一时之间恐怕没办法派出100位传教士。”新教皇思考了一下说道，“那么，我就准备一些精美的宝物，回一封国书，再请两位传教士陪你们一起前往中国好了。你们觉得如何？”

“当然！当然没问题。”尼古拉不好意思多加要求，他致意道，“感谢教皇的协助，让我们可以到中国复命！”

在教皇衷心的祝福下，他们连同马可一行五人，启程前往中国。

马可一行人搭船横渡汪洋大海，终于在亚美尼亚国的来亚苏斯港口登陆。

港口附近非常热闹，却弥漫着一种诡异的气氛，路上行人全都神色慌张，到处有人在窃窃私语。此时，一位头戴皮帽的少年，身上背着一大袋宣传单，从街道的尽头跑了过来，手里不断地挥舞着传单，大声吆喝着：

“号外！号外！大家注意了！巴比伦的军队就要攻打过来了！”

“号外！号外！战争开始了！请大家赶快找个地方躲起来！”

港口附近的人们，听到这个消息，个个扶老携幼，急忙找个地方躲起来。马可一行五人，此时也都慌了手脚，只能跟随人群找到一处隐秘的地方躲起来。

“真是太可怕了！这可怎么继续走下去啊！”

“是啊！别开玩笑了！这样实在太危险了！”

听到战争的消息，两位传教士早已吓得脸色发白，私下商议着回国的打算。

“对不起！实在太危险了。”两位传教士互推了一下，其中一位面有难色地说道，“我们恐怕无法和大家一起到中国去了！”

“是啊！真是抱歉！”另一位传教士也帮腔道，“我们要在这里向各位告别，决定打道回府了。请大家多保重！”

看见两位传教士已经快被战争的消息吓死了，尼古拉与马飞欧也只得无奈地表示同意。望着他们逐渐远去的身影，尼古拉拍着马可的肩膀，有感而发地说：“儿子啊！你呢？你会不会害怕呢？”

“才不呢！我一点儿都不怕！”马可仍然勇气十足地说，“我要跟爸爸和叔叔一起到中国去游历、探险！”

马可从行囊中掏出了纸笔，开心地炫耀道："你看！我还要把这趟旅行的故事全部记录下来，让家乡的人都知道外面的世界是什么样子的！"

"哈哈！很好，很好！真是我的好儿子！"尼古拉看着勇敢坚定的马可，开心地笑到合不拢嘴。

站在一旁的叔叔马飞欧，也忍不住往马可的肩膀拍了下去："真是好样的，马可！"

由于力道过猛，马可的身体不由自主地晃了一下，但是听到叔叔这样的夸赞，他突然觉得有些不好意思，只是低着头喃喃地说："还好啦！叔叔，您过奖了！"

虽然少了两位同伴，马可一行仍然依照原计划继续东行。

这天，他们来到小亚美尼亚，马可看见到处都是瘫在路旁、仆倒在地的醉汉，心里觉得失望极了。

"这里到处都是醉汉，空气好差啊！"马可皱着眉头说。

"别看这些人这般落魄，"马飞欧说，"有人曾经是高高在上的贵族后裔呢！"

"真的吗？怎么可能？"

原来马飞欧曾经听过小亚美尼亚的故事，他继续说道："以前这个国家的人民都非常守法，贵族们都是骁勇善战的勇士，根本没人敢欺负他们。"

"那现在怎么会变成这副德行呢？"

“可能是嗜酒成性害了他们吧。现在全成了醉生梦死的酒徒了。”

幸好小亚美尼亚不全都是酒徒的国度，马可三人来到此地有名的港口拉耶斯，繁华的景象，让人忘却了穷街陋巷里的酒徒。

“这里有来自威尼斯最棒的香料，快来看看哦！”

“快来看看热那亚的丝绸、毛织品！”

“您找不到的药材，这里全都有哦！”

马可听到港口商人此起彼落的叫喊声，内心里的热情与活力又再次被点燃。他开心地拉着父亲及叔叔在港口附近到处看、四处逛，就怕漏了哪个地方没看到。

“想不到这里也有家乡的香料！”

“是啊！附近几个国家的商人，都会到这里做生意。”尼古拉仿佛希望马可继承衣钵似的，对着他谆谆教诲道，“我和你叔叔也是这样做生意的，我们把家乡的好东西拿到外地卖，赚到的钱也可以再从外地买些东西回家乡！这样的话，世界各国的人，就可以‘互通有无’，买到任何想要买的东西了。”

“嗯！有道理！这样真好！”马可似乎领悟到一些道理，若有所思地把这些事情写进了笔记本。

告别了小亚美尼亚，马可三人行至一个广阔的天地——大亚美尼亚。此地放眼望去尽是翠绿色的草原，牛群、羊群三三两两错落在草原上低头吃草。一旁大树底下的牧童，舒适地躺在草坪上，用草帽遮盖着脸，似乎早已进入甜甜的梦乡。

“我们也来休息一下吧!”尼古拉放低声音说,“大伙儿小声点儿,可别吵到这位牧童哥了!”

“已经吵到了!”牧童拉下草帽,眼睛半睁半闭,懒洋洋地说。

“对不起啊,吵到你了!”

“咦!你们是外国人啊?”

“没错!我们是从威尼斯渡海过来的,正打算去见中国皇帝呢!”

“威尼斯?中国?”牧童搔着头说,“虽然我不知道在哪,不过,一定很远吧!”

“是挺远的!”尼古拉诚恳地说,“我们是‘受人之托,忠人之事’,我们想完成中国皇帝的请托!”

马可看牧童跟自己年纪差不多,觉得挺投缘的,所以就接着爸爸的话,把中国皇帝希望多多了解基督教、想要接见传教士以及见识一下圣油等事情,一一向牧童说明了。

“那么,你们还可以向中国皇帝报告一件事。”

“什么事?”马可好奇地问。

“你们看见正前方,很远的地方有一座高山吗?”

马可望向前方,远方果然有一座高山,隐约中还可以看见山顶上似乎正覆盖着皑皑白雪。

“那是一座很有名的高山吗?”马可问。

“岂止是有名?是非常非常有名呢!”牧童像是介绍珍奇珠宝似的说,“她叫作亚拉拉特山,也就是传说中的方舟山。”

“方舟山?”

“就是《圣经》里‘诺亚方舟’的故事啊!”

“你说的故事是指一位名叫诺亚的男人,因为听从上帝的指示,造了一艘很大的船,结果逃过了大洪水的劫难?”

“是啊!就是那个故事啊!”牧童兴致勃勃地说道,“传说中,当时的大洪水几乎淹没了全世界,所有的高山都泡在水底了。诺亚一家人就乘着方舟,载浮载沉,来到了亚拉拉特山山顶,最后总算能够得救。据说,那艘船现在还在山顶上呢!”

“真的吗?你没骗我吧!”

“嗯!大人们都是这么说的。”牧童望着遥不可及的山顶说,“只可惜那座山太高了,而且终年积雪,根本没有人上得去!”

“原来如此!”马可举目遥望亚拉拉特山,心想着:如果能上得去该有多好?这样就可以亲眼证实山上是否有诺亚方舟了。

马可没想到的是,在接下来的行程当中,每个地方几乎都有着不同的传说,虽然无法一一证实,但是这些稀奇古怪、新鲜有趣的传说,却是艰辛旅程中最甜美的果实。

贪心的巴格达国王

一路上,马可跟着父亲及叔叔,走过了大大小小的城镇,也见识了各种各样的人。但此时此刻却让马可眼睛一亮,矗立在眼前的是

一座非常宏伟的城市——巴格达城。

阵容浩大的骆驼商队迎面而来，一峰接着一峰的骆驼，背上都捆着一包包的货物，在主人的带领下，依序前进。骆驼主人的头上裹着布巾，有的威风地坐在骆驼背上，有的手里握着系在骆驼身上的绳，随着骆驼的脚步，慢慢地往前走。

“他们是从事布匹买卖的骆驼商队。”马飞欧还没等马可开口，抢先解答了马可心中的疑惑。

“原来骆驼身上那些五颜六色的货物就是布匹啊！”马可恍然大悟，不由得发出惊叹的声音。

“这是巴格达城。”对这个城市有些许了解的马飞欧解释道，“这里的布料非常有名，此地的人们懂得如何织出闪闪发亮的金线丝绸，甚至还会绣上各式各样的飞禽走兽，非常漂亮！因此，世界各地的人们都喜欢向他们购买布料，这样就可以制作成美丽的服饰了。”

“这个城市的人们真是聪明！”

“还不止这样呢！这个城市还有许多精彩的故事呢。”

“真的吗？叔叔快告诉我啦！”

“这里曾经有个国王叫作哈里发，非常贪心而且霸道，动不动就向百姓征收黄金、财宝，然后，把所有的黄金全都藏在一座宝塔内。”

“这座宝塔现在还找得到吗？”马可问道。

“怎么？你想去宝塔寻宝吗？”马飞欧笑着说，“就算你找到了，恐怕也只能看见一堆白骨，却没有半两黄金哩！”

“为什么？为什么会是一堆白骨呢？”马可睁大眼睛，好奇地问。

“这故事可长了。”马飞欧灵机一动地说，“你看，骆驼商队已经停下来休息了，你要不要去问问那位老伯？他铁定会说给你听！”

马可急着听故事，三步并两步，连忙跑去问老伯是否曾经听过哈里发国王的故事。老伯喝了一口水，大笑道：“你可找对人啦！”同样坐在旁边休息的叔叔、伯伯也跟着起哄：“没错！你真的找对人了！”原来这位老伯是骆驼商队中知道最多故事的人，马可听到大家这么说，真是感到欣喜若狂。

老伯又举起水壶喝了一口水，眼睛望向远处，然后缓缓说道：“话说当今中国皇帝忽必烈，有一位弟弟叫旭烈兀，当年还在开疆辟土的时期，曾经南下攻打巴格达城，而哈里发正是当时的国王。”

“我知道，他是一位死要钱的国王！”马可现学现卖地说。

“没错！但他的下场非常凄惨！”

“跟宝塔里的白骨有关吗？”

“当年旭烈兀攻打巴格达城时，是以智取，而非强攻！这是一场非常有名的战争。”

“是啊！听说兵分三路。”一旁比较年轻的叔叔也忍不住插话进来，说话时手舞足蹈、口沫横飞，“旭烈兀把两支军队埋伏在巴格达城附近，自己带领第三支军队向巴格达进攻！”

“没错！”老伯继续说道，“哈里发一看，以为旭烈兀所率领的军队就只有小猫两三只，于是起了轻敌之心，率军杀出城门迎战。”

此时，年轻的叔叔又忍不住了，他又抢着说："这个时候，旭烈兀故意装成很害怕的样子，一直向后撤退，好让哈里发的军队往前追赶，直到把哈里发引进了圈套，他就立刻下令军队反身回击，同时命令先前埋伏的两支军队围攻上来，这么一来哈里发的军队就被三支军队团团围住，最后只好束手就擒了。"

"然后呢？他被杀了吗？"马可问。

"他的下场比当场被杀还惨啊！"老伯深深地叹了一口气说，"旭烈兀大军发现哈里发居然私藏了那么多宝藏，索性就把他关在藏宝塔，活活把他给饿死了。"

"原来如此，宝塔里的白骨是这么来的！"马可喃喃地说着。

"这位小少年，你是从哪儿来的？又打算往哪儿去呢？"老伯伯话锋一转，询问起马可的来历。

马可把此行的目的概述了一次，老伯像是听到了传奇故事似的，听得津津有味。

"忽必烈大汗威名远扬，如果我也能亲自拜见，那该有多好！"老伯的羡慕之情溢于言表。

"是啊，我也希望能够早日见到忽必烈大汗！"

"听你提起基督教，我倒想起了关于哈里发的另一则传说。你想听吗？"

"当然，我可是求之不得呢！"

大伙儿一听老伯又要说故事了，全都不由自主地靠拢过来，就连马可的父亲和叔叔也兴趣盎然地走了过来,也想听听这个城市的传奇故事。

“哈里发这个人是个回教徒,却无法包容其他宗教,每天处心积虑要使全国人民都信奉回教,如果有人不从,他就会找个借口,把这个人处死。”

“真是个可怕的暴君!”众人异口同声地说。

“有一天,哈里发终于想到一个奸计,他把一些基督徒找来,跟他们说:‘你们《圣经》上说:即使你们的信仰只有芥菜种子的大小,也能移山填海!’如果是这样的话,我给你们十天的时间,请你们移一座山给我看看,否则你们就要改信回教,有人不从的话,就等着接受最残酷的刑罚吧。”

“那些基督徒该不会全被杀光了吧?”马可忧心地问。

“以哈里发暴虐无道的个性,的确什么事情都干得出来。所以每一个基督徒都感到非常害怕。”

“那怎么办呢?哪有办法真的把一座山移开来呀?”

“据说,后来基督徒受到神的指示,找到了一位最虔诚的基督徒,他是个独眼鞋匠。大家把所有活命的希望,全都寄托在他身上。”

“结果呢?山移动了吗?”马可急切地问。

“十天后,独眼鞋匠在众多基督徒的环绕之下,跪在十字架前虔诚祷告。就在他祷告的同时,哈里发也亲自率领军队来到现场,一旦移山不成,立刻展开杀戮行动。”

“好紧张哦！那究竟山移动了吗？”

“就在独眼鞋匠念完祷告词的时候，大地发出轰隆巨响，山真的移动了！此时，哈里发和他的军队个个吓得目瞪口呆，全都慌了手脚。就这样，基督徒总算免于一死。”

“这是真的吗？山真的会移动吗？”马可一脸难以置信的表情。

“哈哈！这我可不知道了。故事就是这么说的呀！随你信不信啦！”

“也对！真有意思！”

“好了！故事讲完了，我们也该上路了。再会！记得替我向忽必烈大汗问声好哦！”

老伯说完便拉起骆驼的绳，扬长而去，留下满肚子疑惑的马可和议论纷纷的人们。

波斯人的拜火传奇

离开了巴格达城，马可一行人继续往东前进。这天来到波斯[1]，四处可见鹧鸪鸟。这种鸟儿犹如鸽子般大小，黑白相间的羽毛，搭配红色的鸟嘴及小脚，样子非常特别。虽然鹧鸪鸟到处都有，但是这种红嘴、红脚的鹧鸪鸟，只有在波斯才见得到。

“我听说波斯的马很有名，不是吗？但我怎么放眼望去，全是鹧鸪鸟和驴子呢？”马可一到波斯就想看看传说中的波斯马，无奈却只

1 波斯：即今伊朗，古代的波斯王国是一个强盛的帝国。

瞧见一头头背着货物、忙碌奔驰的驴子。

“在这里啊，驴子可比马儿值钱哦！”尼古拉笑着说。

“真的吗？为什么呢？”

“这是因为波斯位于沙漠地带。”尼古拉耐心地教导马可，“你看，这里大部分地方都是荒原，人烟稀少、水草罕见，要想喝一口水，都不是一件容易的事。在这方面，驴子比马儿适应力强，不必吃太多饲料、喝太多水，就能跑得很快，还能背负重物，非常好用！”

“原来如此。当驴子可真辛苦啊！”

“是啊！不只是驴子辛苦，人们要经过这里也挺辛苦的。”尼古拉转移话题说道，“走吧，去找一位向导陪着我们一起走吧！”

“找向导？这又是为什么呢？”

“这条路上的强盗土匪挺多的，我们请个向导陪我们走一段路比较安全。”尼古拉指着前方说，“看！那里就是了！”

马可循着父亲所指的方向望去，看见不远处有一个茅草覆顶的小亭子，里面站着许多匹马，一旁还有几个粗犷的男子闲坐着谈天。

“你先在这儿看着我们的马匹，我跟你叔叔去去就来！”

“好的，没问题！”

不一会儿工夫，尼古拉和马飞欧身后跟着一位向导，领着一匹马走了过来。

“马可，这位向导叫卡鲁。”尼古拉说。

马可打量着眼前这位中等身材、皮肤黝黑的年轻人，猜想彼此的

年龄应该差不多。

“我叫马可,今年十七岁。你呢?”

“我大你三岁,我已经二十岁了。”

“好了,天色不早了,咱们赶紧上路吧!”马飞欧吆喝着。

多了一位新朋友,马可觉得格外兴奋。他和卡鲁并行在前,尼古拉和马飞欧跟随在后,四个人快马加鞭,赶着在天黑前到客栈投宿。在一阵风驰电掣般的疾行之后,荒漠的尽头,却是一座宏伟的城堡。

“就是前面那座城堡吗?”马可问。

“没错,这个城堡的名字叫作帕拉萨塔。”卡鲁解说道,“城堡里面有家不错的客栈,咱们到那里去住一晚吧!”

客栈里高朋满座,生意极好。马可一行人进房稍事梳洗一番,随即下楼用餐。

“卡鲁,你也一起来吧!别客气!”马飞欧热情地招呼着卡鲁。

“好的,谢谢。”

“这家客栈的生意可真好,现在已经过了晚餐的时间了,还有这么多人在用餐。”马可好奇地问卡鲁。

“我想,他们应该是刚从火庙回来的吧。因为路程遥远,恐怕是耽误了晚餐的时间了。”

“火庙?火庙是什么样的地方?”

“这里的人,大部分都是信仰拜火教,经常要去火庙礼拜圣火。”

“礼拜圣火?”

“嗯！火庙里会有一个祭坛，祭坛上就是圣火，我们必须保持圣火永不熄灭。”

“所以，火庙里供奉的是圣火，而不是神像哦！”

“对！拜火教的信徒每天都会头戴披巾，到圣火前祈祷一小时。”

“头戴着披巾？”

“对！披巾会垂到脸上，遮住嘴唇。”

“这样啊！但为什么要拜火呢？”

“因为拜火可以为人们带来荣华富贵啊！”

“好了！好了！马可你先别问了，让卡鲁吃点东西吧！”马飞欧说。

“哦！对不起啊！卡鲁，咱们赶快吃吧！”

白天在荒原上奔驰了一整天，大家的确又饿又累，晚餐之后，大伙儿早早歇息了。直到又听见窗外鹧鸪鸟“咕噜、咕噜”的叫声，马可起床迎接全新的一天，顺手打开窗户，呼吸一下新鲜空气，望着窗外与家乡截然不同的景致，马可突然想起了家乡，想念那流水潺潺的景象，以及多年来照顾他的婶婶和从小一起长大的朋友们。

“听说你们这趟去中国，是要去见中国皇帝啊？”原来卡鲁也已经醒来，睡眼惺忪地说着。

马可被他这么一问，一下子从过去的时光，拉回到现在的时刻。

“是啊！我真是好奇，真想早日见到中国皇帝！”

“真好！如果我也能跟你们一起去就好了。”

“你可以跟我们一起去吗？”马可觉得自己跟卡鲁挺聊得来的，

一路上若有他相伴,一定可以排遣离开家乡的寂寞。

“哈哈! 你忘了? 我现在可是在工作呢! 一旦走过了容易出事的危险路段之后,我就得回去了。”

“也对哦!”马可满脸失望,却也无可奈何。

“不过,在离开之前,我可以再跟你说一个故事。”

“是关于拜火教吗? 我就知道你昨晚还没说完哩!”马可又变得神采奕奕。

卡鲁俏皮地扮起一副说书人的样子,继续说道:“话说在远古时代,波斯王国的三位王子听说令人崇敬的先知已经降生,于是商议着决定前往拜见。”

马可忍不住插嘴问道:“这位先知就是耶稣基督吗?”

“你说得没错!”卡鲁继续说道,“某天,三位王子以虔诚的心情,带着黄金、乳香[1]和没药[2]三样礼物去拜见还是个婴儿的耶稣。耶稣有感于他们诚挚的心意,决定送他们一只密封的箱子。”

“箱子里面是什么宝物?”

“几天后,他们打开一看!”为了制造气氛,卡鲁故意停住不说。

“快说啦,别卖关子。”

“箱子里居然只是一块黑乎乎的石头!”

“真没意思!”

---

1 乳香: 一种珍贵的香料。

2 没药: 没(音同“莫”)药是一种可以治疗跌打损伤的药材。

“三兄弟一气之下，随手把石头丢进一只枯井中，结果……”卡鲁又不说了。

“快说！结果如何？”

“结果石头竟然燃起熊熊的火焰！”

“天啊！”

“三兄弟看见这样的情景，发现实在不应该随意丢弃那块石头，于是就把火带回去，供奉在火庙里，让火永远燃烧下去！”

“这就是拜火教的由来喽！”

“嗯！没错！”

此时，天际发出一声隼叫，卡鲁抬头一看，手指着那只像老鹰的鸟，兴奋地大叫：“大家快看！”大家连忙抬头，只见这只隼不像一般老鹰总是黑乎乎的，胸部、腹部全是美丽的淡红色彩，大家不约而同地发出赞叹：“好美啊！”只是美丽的隼飞行速度极快，很快便缩成天边的一个小点。这时卡鲁才跟大家说：“这可是全世界最美丽的隼哦！我们真是幸运，可以一睹它的庐山真面目！”

这只美丽的隼似乎让大家忘了旅途的疲惫，大伙儿开始聊个不停，几乎没发现眼前的景色已经变得完全不同了。此时此刻，放眼望去尽是一片辽阔而美丽的平原风光，然而，他们却不知在这美丽的风光背后，正隐藏着邪恶的凶险。此时，卡鲁忧心地提醒大家：“接下来的路程要小心了，大家可得谨慎点才行！”

原本以为总算可以松懈一下的马可、马飞欧以及尼古拉面面相觑，似懂非懂地应声："知道了。"但心里却着实感到纳闷。

在接下来的路程中，大伙儿虽然没有意识到凶险的气氛，但却明显感受到温度骤降，于是赶忙添加外衣，顶着寒风继续前进。

卡曼杜城的印度妖法

穿越了碧草如茵的大草原，前方的景致越来越荒凉，马可一行人终于逐渐明白卡鲁感到忧心的原因了。

"现在，请大家暂停一下！"卡鲁矫捷地跃下马，从行囊中掏出几个铃铛，还顺手摇晃了一下，"当当"声响了起来。接着，卡鲁走到马可所骑的马儿面前，用一条红丝带将铃铛系在马脖子上。

"为什么要系铃铛啊？"马可问道。

"待会儿我们就要进入沙漠了，我担心会遇上马贼，毕竟有备无患啊！"

"这个沙漠里经常有马贼出没吗？"尼古拉忧心地问。

"嗯！这附近有一批克劳纳斯人，是一群亡命之徒，专门打劫途经沙漠的旅客。"

"那些马贼很凶狠吗？"马飞欧问。

"最可怕的是，他们不知道从哪儿学来的印度妖法，非常可怕！"

"印度妖法？是什么样的妖法呢？"这次换马可发问了。

"那妖法会将艳阳高照的大白天，瞬间变成沙石漫天飞舞的恐

怖黑夜呢!”

“真的吗?你见过那些马贼施展妖法吗?”马可愈问愈急了。

“我倒是挺幸运的,出入这个沙漠很多次,但从没遇到过马贼,这些全是听兄长、朋友们说的。不过,真的有人被马贼给杀了,金银财宝也被掠夺一空。”

“真可怕!对了,快告诉我,为什么马脖子上要绑个铃铛呢?”

“幸好你提醒我,差点儿忘了说。”卡鲁解释道,“这是因为马贼出现时,天会变得一片漆黑,还会响起怪异的笛声和钟声,因此,为了避免我们在慌乱中走散,一定要记住铃铛的声音,万一真的遇上马贼,大家一定要注意铃铛的声音,紧跟着我走,这样才能顺利脱困!”

“听起来真可怕啊!我们真的会遇到马贼吗?”

“总之,有备无患嘛,对不?”

“没错!马可、马飞欧,到时候一定紧跟着彼此才行啊!”尼古拉郑重地告诫大家。

“是啊,大家还是小心一点才好!”马飞欧说。

“那么,卡鲁,一切都拜托你了。”尼古拉对卡鲁说。

此时,卡鲁已经将每匹马的脖子上全绑上了铃铛。听了尼古拉的嘱咐,卡鲁勇敢地打起精神,胸有成竹地答道:“没问题的,咱们上路吧!”说完随即跨上马鞍,策马前进。

荒漠里人烟稀少,除了嘚嘚的马蹄声之外,就是铃铛的声响。或许是有些紧张,好长的一段路上,都没有人说话。

“太好了!”卡鲁突然打破寂静喊道。

“怎么了?”马可问。

“大家看看前方,有个商队在那儿!我们跟他们一起走,人多势众应该会比较安全点!”

“嗯!这样似乎好多了!”

卡鲁带领大家快马加鞭,赶上那数十人的商队。商队的阵容相当庞大,有人牵着骆驼,有人骑着马匹,赶驴子的人也不在少数,唯一的共同点就是这些牲口全都驮运着一包包的布匹、货物以及珠宝等等。队伍中还有一些彪形大汉穿梭其间,应该是专程为了保护这些财货而来的。

马可一行人跟着大队人马前进,感觉上安全许多,也恢复了谈天说地的欢乐景象。

“我们有这么多人,马贼应该不敢来欺负我们了吧!”马可开心地说道。

“照理说,应该会比较安全,但还是小心点为好。”卡鲁回道。

说时迟,那时快。正在谈话的时候,忽然风云变色,天地一片漆黑,仿佛被巨大的乌云笼罩。卡鲁见情势不妙,高声大喊:“不好了!马贼来了!大家注意马匹上的铃声,跟着我一起走!”

这是卡鲁第一次真正遇上马贼,虽然之前曾听过父兄的描述,但是要临危不乱,却不是一件容易的事。不过,为了保护大家,卡鲁还是强作镇定,带领大家一起向前飞奔,一心祈求能顺利躲过马贼

的掠夺。

马可、尼古拉及马飞欧个个绷紧神经，在狂沙飞舞的沙漠中，紧跟着卡鲁向前奔驰。兵荒马乱之中，不时传来神秘的笛声，甚至有人的惨叫声，状况相当惨烈。

“啊……”卡鲁发出一声长长的惨叫，紧接着就是马儿惨烈的嘶鸣。马可正要弄清楚发生了什么事，却也发出同样惨烈的叫声：“啊……”

原来沙漠中竟然有一个好大的洞穴，卡鲁看不见来路，连人带马摔了下去；紧跟在后的马可、尼古拉、马飞欧当然也无法幸免于难，一个个连人带马摔了下去。

虽然情况危急，但是看着彼此狼狈的样子，大家还是忍不住“噗哧”地笑了开来。

“真是抱歉，害大家跟我一起摔了个大跟头。”卡鲁收起笑容，郑重地表示歉意。

“不怪你！谁能知道沙漠里会有这么一个大坑洞！”尼古拉安慰地说道。

卡鲁将头探出洞穴之外，发现这个洞穴正可以发挥地形上的遮蔽效果，他思索了一番说道：“我看我们就‘见招拆招’好了。”

“怎么个‘见招拆招’法？”马飞欧问。

“我们移进洞穴的深处，等马贼走了再出去，这样或许还比较安全。”

“也对，你说得有道理！”

马可从没见过这样大的洞穴，与其说是洞穴，不如说是个小山谷，山谷外的世界还是漫天黑沙，笛声不断；山谷内的这边，每个人都噤声不语，静待马贼离开。

“这哪是什么妖法！”马可压抑住兴奋的心情，小声跟卡鲁说。

“你发现什么了吗？”

“你看，黑色沙石逐渐散去了。”

“嗯！那代表什么呢？”卡鲁皱起眉头问。

“那就表示所谓马贼的妖法，只是因为他们知道何时会吹起狂风沙，然后趁机打劫罢了。”

“有道理！”

“你看，风逐渐停了。黑色沙石也渐渐落下了。这不就看见太阳了吗？”

“是啊！他们并没有把白天变成黑夜，只是因为黑沙密布，让大家觉得像是变成黑夜一般！”

“没错！”

“马可，你真是明察秋毫啊！”

“好说！好说！”马可被称赞得不太好意思，腼腆地摸了摸自己的头。

“我这次回家之后，一定要告诉大家这个道理，尽量避免在沙漠狂风发作时出发！”

随着风沙落尽，天色渐明，马贼早已去得不知踪影。马可一行人从洞穴里爬出来，又费了好大的工夫，才将马牵上来。放眼望去，只见零星散落的布匹、货物，可以想象商队的损失一定相当惨重了。

逃过了这一劫，大家心有余悸，但也只能随着卡鲁的马蹄声，快步前进，心里渴望着早日穿越这个可怕的沙漠。

忽鲁莫思城的热风

柳暗花明又一村！马可一行人逃过了马贼的追击，来到了景色秀丽的忽鲁莫思平原，大大小小的美丽河川遍布，绿意盎然的枣树林四处可见。枣树林内，鹧鸪、鹦鹉及各种不知名的鸟雀栖息其间。

“前方就是大海了。”卡鲁指着前方亮晃晃的海洋说道。

“也就是说，我们必须道别了。”马可依依不舍地说。

“对了！你们离开之后，可以顺道去忽鲁莫思城看看。”卡鲁建议道，“它就在离岸边不远的一座小岛上，你们到渡船头问问就知道了。不过，可别待太久，那里热得很。如果热得受不了，要记得去找城里的水上小屋避暑哦！”

“谢谢你！这一路上有你相伴，真的非常开心。”尼古拉拿了三枚银币给卡鲁，作为他担任向导的酬劳，同时恳切地向他道谢。

众人相拥道别之后，只得依依不舍地分手。马可望着卡鲁骑马的背影，直到他进入枣树林，再也看不见身影为止。

“走吧！出发喽！下一站忽鲁莫思城！”为了打破凝重的离别气氛，马飞欧刻意提振精神、拉大嗓门叫道，同时挥鞭策马前进。

马可这才回过神来，跟着父亲及叔叔，朝向岸边奔驰，打探前往忽鲁莫思城的船只。

乘船来到忽鲁莫思小岛，首先进入眼帘的就是热闹非凡的港口，来自世界各地的人们，在各个店铺、摊位之间穿梭。满脸络腮胡的男人，拿起一颗彩色的宝石，举向天空，正朝着阳光仔细端详；体型削瘦的印度人手捧着香料，吆喝着请过路人闻闻他那稀世香料；胖嘟嘟的妇女，脖子上挂着十多条七彩项链，手腕上的链子更是多不胜数，正在声嘶力竭地兜售她的产品……

每到一个新的城市总让马可兴奋不已。他几乎是蹦蹦跳跳地和父亲、叔叔边逛边走，好不容易才穿过热闹的港口市集，来到忽鲁莫思城内。

“这里的天气可真热啊！”马飞欧皱着眉头，从身上掏出手巾，不断擦拭脸上冒出的汗水。

“是啊！风吹来时更热，在这里怎么生活啊？”尼古拉也是汗如雨下。

“我们找个地方休息好吗？”马可不再蹦蹦跳跳，整个人像是泄了气的皮球，有气无力地说，“我也快中暑了。”

在正午艳阳的高温照射下，三个人昏昏欲睡，步伐越来越慢。

“你们看！前面那条河上有房子呢！”马可眼尖地看见了水上

的小屋。

“走！咱们过去瞧瞧！”马飞欧苦中作乐地开玩笑道，“我可一点儿都不想晒成人干哦。”

水上小屋非常特别，是用柳树枝建成的。三人走近一看，这才发现水屋里有好多人，而且全都泡在水里。

“原来大家都躲进这里了。”马可又惊又喜地喊道。

“咱们也跳进去吧！”马飞欧快速脱下外衣，说完便纵身一跳，脸上露出浑身舒畅的表情。马可和尼古拉见状，二话不说，同样“扑通！扑通！”接连跳进水中，这才发现水里有座位可以坐，大家全都蹲坐在椅子上。

“三位朋友一定是从外地来的吧。”旁边一位老先生全身都浸在水里，就连颈子、下巴都浸在水中，为了说句话，还得特地扬起下巴。

“是啊！你们这里的天气可真热哩！”尼古拉开心地与老先生攀谈。

“哈哈！没错！原则上，我们从早上九点到正午这段期间是不会出门的，大家都会躲在这水屋里避暑。”此时，老伯伯挺直身体，露出了暗褐色的上半身。

“难怪进城后，街上几乎没见着任何人。”马飞欧恍然大悟地说。

“那是因为从内地那边会刮来可怕的热风，温度之高，甚至会让人窒息而死啊！”

“真有那么可怕吗？”马可也加入了谈话。

“赶快！大家把身体全浸到水里。”老伯伯话一说完便将颈子、下颚全浸在水里。

马可、尼古拉、马飞欧虽然不明白发生了什么事情，但也学着老伯伯依样画葫芦，全身上下都浸在水中。

水屋一下子变得鸦雀无声，一股热风呼呼袭来，马可立刻明白了老伯伯叫大家躲进水里的原因，因为那热风真的令人难以忍受。

“哇！热风真的非常可怕啊！”热风一过，马可忍不住表示惊叹。

“是啊！这里有许多人都被热风热死在路边。”老伯伯似乎心有余悸地说，“如果一不小心，尸体摆放过久而没有处理，非常容易引起瘟疫，遇上这种会互相传染的疾病可就更麻烦了。”

“那怎么办呢？人死之后应该如何处理呢？”

“我们会尽快把尸体掩埋，这样才不会导致瘟疫的发生。”

“原来如此！”马可又因为增广见闻而感到满足。

闲聊中，天气渐渐变得凉爽许多，也不再吹起热风。有些人已经陆陆续续离开水屋，有些人依旧待在水里，不想起身。

“走吧！远来是客。我请你们到附近的餐馆吃点儿东西。”老伯伯热情地邀约。

餐馆里的人并不多，两三桌客人，一边用餐一边闲聊。马可一行四人才刚坐定，就有一位十四五岁的年轻人跑了进来，上气不接下气地说道：“敌人来攻打我们了！敌人来攻打我们了！”餐馆里的客人面面相觑，你看看我，我看看你，接着就是一阵喧哗，大家要小男孩

说个清楚，究竟发生了什么事。

小男孩看见大家紧张的神情，反倒是调皮地笑了出来，他嘻皮笑脸地说："不过，全死光了！哈哈！"

就在小男孩得意忘形的时候，冷不防从后脑勺飞来一记巴掌。

"哎哟！"小男孩忍不住一声惨叫，还满脸委屈地说，"妈——这样很痛的！"餐馆里的客人看到这样的情形，也忍不住笑了出来。

"你这小兔崽子，还不赶快给我说个明白！"身材微胖的老板娘，揪起小男孩的左耳怒道。

"好啦！"小男孩不敢再耍宝，他对着大家说，"就是我们的死对头起尔曼国王，这次派出好几千名骑兵来攻打我们，结果他们完全不了解热风的威力，竟然全部热死在树林里了！"小男孩话一说完，全场哗然，大家你一句、我一句讨论个不停。

"这是因为我们忽鲁莫思城的统治者一直不愿意对起尔曼国王称臣，也不愿意进贡财宝给他们，所以，他们一直处心积虑地想占领我们的城池。"老伯伯跟马可他们解释道。

"我还没说完呢。更夸张的事，还没告诉你们呢！"小男孩再度说道，"后来，我们的军队获报之后，本想赶去埋葬尸体，结果居然所有的尸体全都被热风烤焦了，稍微搬动就会肢体分离……"

老板娘闻言，立刻制止了小男孩继续说下去："好了！别说了，大家都在吃饭，别倒了客人的胃口了。"老板娘把孩子赶了出去，还不忘换了个热切的表情，要大家尽情享用餐点。

“原来，这热风真的会把人烤成人干哦？”马飞欧吐了一下舌头说。

“好可怕！”马可嘴里啃着带点儿苦味的面包，想起那些被热风烤焦了的士兵，不禁浑身打了个冷颤，心想：卡鲁说得对，还是别待太久，早点离开这个城市比较好。

邪恶的山中老人

告别了忽鲁莫思，马可一行人继续往东方前进。这一段路可不好走，全是一望无际的沙漠地带。走在沙漠里真不好受，白天艳阳高照，酷暑难当；夜里气温骤降，冷得发抖；一旦狂风吹来，更是烟尘弥漫，经常把沙漠里的旅人整得灰头土脸，好不狼狈。更要命的是，沙漠里的水源少之又少，几乎看不到任何水塘或是溪流。

“看！前面好像有水！”马可兴奋地指着前方喊道。

这是走在沙漠里的第四天，总算见到一条小小的水流。马可、马飞欧以及尼古拉开心地从骆驼背上一跃而下，只见这条河川大部分都已经埋在地底下了，但有几个小小的洞穴还在流出清凉的河水。大家都兴奋地捧起河水，大口大口地喝下肚，顺便畅快地洗把脸。

“啊！真是太舒服了！”马飞欧开心地坐在地上赞叹着。

“没错！真是太舒服了！”马可也笑呵呵地应和。

“好了！别在那里光喊着舒服了。”尼古拉自己喝完水，还装了一

些水让骆驼饮用，他催促大家，“赶快把我们的水壶都拿出来装满吧！待会儿还得继续赶路呢！”

马可和马飞欧这才起身，依照尼古拉的吩咐，把所有的水壶都装满了。

大家休息了一会儿，正准备启程赶路时，不远处来了一支骆驼商队，看来他们也是来这里取水的。

尼古拉简单地和他们打了招呼，问道：“请问从这里穿越沙漠到达地莫省，还有多远的距离呢？”

商队里一位留了络腮胡的壮年男子，看来非常了解沙漠旅人的辛苦，他略带同情地回答道：“大约还要十天，你们继续加油吧！”

马可和马飞欧闻言相视皱眉，一脸痛苦又无奈的表情。尼古拉则在道谢之后，吆喝着大家启程赶路。

约莫十一天之后，他们总算来到波斯北部的边境，抵达地莫省。

这里有许多边防要塞和大大小小的城镇，马可一行人首先经过的是一大片草原。草原上生长着高大的林木，马可好奇地摘了片叶子仔细观察，发现叶片表面是深绿色的，但背面却是白色或浅蓝色。

“接着！”不远处传来马飞欧的声音。

马可抬头一看，原来是叔叔马飞欧丢来一颗像是栗子般硬壳的东西。他伸手接住，觉得好玩，便随处找颗大石头，用力敲开硬壳，里面竟然没有任何果肉。

“哈哈！里面没有任何果肉，对吧？”马飞欧手里把玩着同样的果实，边说边走近马可身边。

“是啊！真是奇怪！”

“这种树叫作太阳树，基督徒则称为‘干树’或‘无果树’。”

“真有意思！在家乡从来没有见过这种树，而且老师也没教过呢！”

“这就是‘行万里路’的好处啊！”

“没错！这一路上真是大开眼界呢！”

“我们在这里休息一会儿吧！”尼古拉看见马可和马飞欧正玩得起劲，又发现前面有座凉亭，决定让大伙儿歇一歇脚，说完便独自朝着凉亭的方向走去，但见一位老翁也在凉亭里闭目养神。

马可和马飞欧索性玩了起来，手上拿着无果树的果实互相丢掷、闪躲。

“哎哟！”马飞欧捧着肚子，表情痛苦地摔倒在地。

“糟了！是不是丢得太用力了。”马可皱着眉头，快步向前探视。

“骗你的啦！哈哈！”马飞欧忍不住笑着起身跑开来，两人又开始新一轮的果实大战。

结果，又是一声“哎哟！”但这次不是轮到马可，也不是马飞欧，而是那位待在凉亭里闭目养神的老翁。

尼古拉见情势不妙，立刻转身向老翁致歉，马可和马飞欧也随即跑来道歉。

“呵呵！没关系啦！我也该醒来了。”老翁和蔼地笑着说。

“不论如何,还是很抱歉!”尼古拉愧疚地邀请这位老翁,“我看我们请您喝杯茶吧!不过,还得请您带路了,我们初到贵宝地,人生地不熟的。”

“既然你们是从外地来的,不妨一起到我的小店来坐坐吧。”

原来这位老翁在城里开了间小餐馆,大伙儿在老翁的邀约下,开心地一起进城去。

“请问这附近有哪个地方适合走走逛逛的?”马飞欧询问道。

“大约在十里之外,有个相当著名的绿洲。”老翁为了尽地主之谊,认真地当起导游了,他说,“在公元前三百多年,那个绿洲正是马其顿国王亚历山大大帝和波斯国王大流士交战的地方。”

“那时候谁获胜了呢?”马可好奇地问。

“大流士失败了!”老翁进一步说明,“听说他的母亲、妻子、女儿全成了俘虏,非常惨烈呢!”

“战争真是太可怕了!”马可若有所思地喃喃自语。

“还有更可怕的故事呢!”老翁此言一出,马可、马飞欧、尼古拉全都睁大了眼睛、拉长了耳朵,非常想听听这个故事。

一路上,老翁娓娓诉说这个地方的古老传说:

据说有一位名叫阿洛丁的老人,在高山与高山之间的美丽峡谷中,盖了一座非常气派又豪华的城堡。宫室内布置得金碧辉煌,墙上挂满美丽的绘画及金线刺绣,桌上则摆放着一盘盘散发着香气的鲜美水果,连桌巾都是用闪闪发亮的丝绸做成的,真是美轮美奂。宫室外的花园里则种满了各种奇花异草，再加上每一座凉亭、池塘、长廊处处精雕细琢，许多美女穿梭其间，就如同天堂一般。

但这一切都是可怕的诡计。

这位山中老人阿洛丁将这里取了个名字叫作“极乐园”，这就是他豢养刺客的地方。

这些刺客都是十二岁到二十岁的年轻人，为了让年轻人听话，他告诉年轻人，只要听从命令，就能进入极乐园，享受天堂般的生活。

为了塑造极乐园的神秘色彩，并且不让年轻人知道如何进入极乐园，山中老人会找机会用迷魂药把这些年轻人迷昏之后，再偷偷把他们送到极乐园。

年轻人醒来之后，看到美女如云，个个都是千娇百媚、能歌善舞，再加上还有吃喝不尽的美酒佳肴，这让所有进入极乐园的年轻人都如痴如醉，仿佛置身仙境一般。

不久之后，山中老人再次把年轻人迷昏了，再将他们送出极乐园。然后，每隔一段时间之后，再以同样的方式，把年轻人送进极乐园，直到年轻人完全相信宛如仙境的极乐园确实存在为止。由于这些年轻人太渴望再次进入极乐园，全都决定誓死效忠山中老人，于是，山中老人就将他们训练成杀人不眨眼的刺客。

有了这群死忠的刺客之后，山中老人开始派遣他们四处打劫、为非作歹，即使是王公贵族，只要是冒犯了老人，也会立刻遭到被暗杀的命运……

“后来呢?”听得入迷的马可,紧张地问,“后来怎么样了?”

“哈哈!放心啦!现在已经没有山中老人了,不会把你抓去当刺客啦。来!大家请进。”原来大伙儿一路听故事,不知不觉中已经来到老翁开的餐馆门口,老翁示意请大家进去。

“后来呢?后来呢?”马可还是不放弃地问。

“后来忽必烈大汗的弟弟旭烈兀实在看不下去了,派遣军队围攻山中老人的城堡,可是当时山中老人已经拥有太多刺客,防卫能力惊人,旭烈兀居然围攻了三年的时间,直到山中老人弹尽援绝才被迫投降,山中老人和所有刺客全被抓进监牢了。”

“这下子山中老人应该没有好日子过了吧!”马飞欧答腔道。

“当然,他被判了死刑,极乐园也被夷为平地了。”

“唉!真可惜!”马可叹气道。

“可惜什么?你也想当刺客吗?”马飞欧作势要拍马可的头说道。

“没有啦!我是说如果城堡还在的话,说不定可以参观一下嘛!”

“这倒是!”全桌子的人都笑了开来。

这时老翁已经让伙计们端上了一桌子好酒、好菜,大家一边享受着丰盛的晚餐,一边谈天说地、把酒言欢,马可想着:这才叫作快乐似神仙嘛!

巴拉香王国的一年

离开地莫省之后，马可一行人在接下来半个多月的时间，途经萨普甘城、巴拉奇城、扎里甘城以及斯卡森城等山岳中的王国，最后来到了巴拉香王国[1]。

这天早晨，马可在床上努力挣扎着，但就是觉得浑身没劲，实在起不了床。

“马可！还在赖床啊？我们该出发喽！”马飞欧来到床前，想要唤醒马可。

“可不可以再睡一下？我的头好痛哦！”马可皱着眉头痛苦地央求着。

马飞欧发现马可的脸上微微泛红，伸手摸一下他的额头，果然是发烧了。

“你生病了，再睡一会儿好了。我去请大夫过来看看！”马飞欧说完即刻飞奔出门，马可也再度昏睡了过去。

大夫的诊断后，证实马可罹患了热病。

“这种病不容易治好，我会开些药方给你们，记得按时服药，多休息！”

由于担心马可的身体状况不适合长途旅行，尼古拉和马飞欧商议决定要等马可恢复健康之后，再出发前往中国，拜见忽必烈皇帝。

---

1 巴拉香王国：位于现今阿富汗东北端。

但是马可的病情却时好时坏，一直无法顺利成行，就这样在巴拉香王国待了将近一年的时间。

这天，马可精神状况稍微好转，马飞欧怕他病中闷得慌，于是带他到附近市集逛逛。

即使生病，马可仍然不改好奇本性，对于所见的一事一物都深感兴趣。此时，他拿起一只马匹形状的摆饰品，向商店的老板询问："请问这些马的图腾和摆饰品，额头上怎么都会有奇特的图案呢？"

"哈哈！年轻小伙子，这可是有段故事的哦！"商店老板说道。

"什么样的故事？可以告诉我吗？"

"这是我们这儿出产的名马，属布赛佛罗斯血统，额头上都有像这样美丽的标记。"商店老板叹气道，"只可惜现在这种马绝种了。"

"绝种了？为什么？"马可着急地问。

"唉！这应该是皇族争权夺利的结果吧！"商店老板说，"起初这种马的饲养权全都掌握在国王的叔父手中，国王对这件事一直非常不高兴，因此，要求叔父把饲养权交出来。但叔父抵死不从，结果国王决定将叔父判处死刑。叔父的妻子知道这个消息之后，居然在一气之下，杀光了所有的马匹！"

"天啊！这样不是太残忍了吗？"

"是啊！但是已经没办法挽救了。从此，这种名马就绝种了。"

对于名马绝种的事，马可感到相当遗憾，但也无可奈何。此时，已经逛到隔壁商店的马飞欧，呼唤着马可。马可随即跑了过去。

“来！穿穿看！看合不合身？”马飞欧拿着一件皮衣给马可穿上。

马可穿上了皮衣，低头打量着自己的穿着，询问着：“好看吗？”马飞欧点头道：“还不错呀！”

“这里的皮衣可是相当有名的哦！”商店老板笑着说。

“怎么说呢？”马飞欧问。

“如果说起一般的布料，我们这里是少得可怜，但是如果想要皮衣的话，这里可说是应有尽有哩！”

“这里的人很会打猎吗？”

“是啊！本来是为了避免外敌入侵，共同防守边疆，因此，全国上下个个都是弓箭好手，当然也都是打猎高手喽！”

“怎么样？马可，喜不喜欢？”马飞欧转头问马可。

“我觉得蛮重的，不太想要呢！”

“这样啊！没关系，那我们就走吧！”

两人走出皮衣店铺，发现市集里的人好像变多了，到处都是人挤人的热闹景象。

为了避开人潮，马可两人走向一家高级珠宝店，打算进去看看。

门内走出一位穿戴高贵的妇人，出外送客的则是珠宝店的老板娘。这位高贵的妇女穿着有些奇特，在长裤之外，还穿着一件似裙非裙的布衣，臀部上似乎裹着厚厚的布料，但质地相当讲究，发际、胸前也都挂上了典雅的珠宝首饰。

“叔叔，你看！那位女士的打扮好特别啊！”妇人走远后，马可小

声地对马飞欧说。

“那位是这里的贵族妇女。”珠宝店老板娘热心地说明，“她们会依据富有的程度，去剪裁很长的精致棉布，然后一层一层裹在臀部上，让臀部高高隆起。也就是说，臀部隆起越高的人，就表示家里越富有。”

“真的吗？为什么要这样做呢？”马可睁大了眼睛，好奇地问。

“这是我们这里的审美标准呀！臀部垫得越高就表示越美丽！”

“真是太有意思了！果然每一个国家的文化和风俗都不一样！”

两人进入珠宝店，看见质地相当优美的红宝石，马飞欧询问了价格之后，吐了吐舌头说：“果然是贵妇才买得起！”

“两位应该是从外地来的吧！”珠宝店老板娘还是非常亲切地问候。

“是啊！不过在这里住了一段时间了。”

“你们可能有所不知，这就是举世闻名的巴斯拉红宝石。在这里只有得到国王的允许才能开采，如果一般人私自开采，可是会被判处死刑哦！”

“哈哈！原来如此，真是名副其实的‘物以稀为贵’呢！”

由于马飞欧正在专心地低头欣赏晶莹剔透的宝石，完全没发现身旁的马可额头上已经不断地冒出冷汗。此时的马可已经浑身不舒服了。

“叔叔！我们回去好吗？”马可有气无力地说。

这时马飞欧才发现事情不妙,跟老板娘借了把椅子,还讨了一杯水,让马可先休息一下,喝杯水。

“这位小兄弟怎么了?病了吗?”老板娘关切地询问。

“是啊!大夫说是得了热病,可是吃药休养了快一年,还是时好时坏,病情一直没啥起色。真伤脑筋!”

“原来是这样啊!不过,我有个朋友也是得了热病,听说后来只是到山顶上住个几天,热病就自然痊愈了。我想,或许你们可以试试看哦!”

听了珠宝店老板娘的话,马飞欧仿佛看到了一线生机。他把虚弱的马可送回家后,立刻跟尼古拉商量这件事情。尼古拉也认为这个方法值得一试,三个人决定前往山顶住一阵子。

在一切准备就绪,马可的身体状况也稍微好转之后,三个人于清晨出发,预定晚间可以到达山顶。一路上所到之处均是绿意盎然的景象,林木茂密、芳草茵茵,岩间的隙缝还不时溢出清澈的泉水,山溪里满是鳟鱼及其他美丽的鱼儿。触目所及,都让人心旷神怡。到达山顶之后,周遭的空气更是异常清新,让人倍觉身心舒畅,果然是个非常适合养病的好地方。

马可到达山顶后,张开双臂深呼吸,开心地说:“哇!这里真好!我现在就觉得已经好了一大半了!”

果然在不久之后,马可的热病终于根除了。

再度恢复以往的健康,这也意味着,马可三人的东行之旅又要

再度启程了。

冰封大地的世界屋脊

痊愈后的马可再次背起行囊，跟着父亲和叔叔继续朝东北方向前进。骑行数天之后，来到了位于帕米尔高原山脚下的怯失迷儿[1]。此地居民的肤色多以暗褐色为主，妇女的面容十分姣好，民风纯朴，对于神佛相当崇敬。

“这是座教堂吗?”马可望着前方的建筑物发出疑问。

“这是座庙宇。庙宇里面供奉的是佛教的神像。”马飞欧回道。

庙宇里相当宁静，听见的是诵念经文的声音，看见的是僧侣和信徒朝着佛像虔诚地膜拜。

“佛教的信徒不杀生，不去伤害有生命的东西。”马飞欧在安静的长廊里，悄声地试图把自己知道的部分，尽量说明让马可知晓。

“原来也有这样的宗教信仰啊!”马可惊叹道。

“嗯! 其实寺庙里的高僧就像我们西方修道院的院长一样，都是非常受到人们景仰的!”马飞欧进一步说明。

担心惊扰到虔诚膜拜的人们，马可与马飞欧特地放轻脚步走出寺庙，此时，到附近人家问路的尼古拉也已经回来了。

“我们再骑行三天就可以到达沃克汉了，到了那里再继续向东北

1　怯失迷儿：即今位于印度北方的克什米尔地区。

前进，就是帕米尔高原了。”尼古拉大致掌握了前进的路线。

“哇！就是那个有‘世界屋脊’之称的帕米尔高原吗？”马可显得相当兴奋。

“你可别高兴得太早，这段路程会很辛苦的！”马飞欧提醒道。

“是啊！要通过这个高原，大概要花上 12 天的时间哩！”尼古拉想让大家有更明确的心理准备，他说，“一路上都是人烟罕至的地方，我们可得准备好所有的食物和饮水才行。”

有幸可以造访海拔高达 7000 米的帕米尔高原，为此马可的内心一直澎湃万分，脑海里不断地在遐想着世界的屋脊应该是什么模样？究竟可以看见什么样的人间仙境呢？

启程后的前三天，真是一段翻山越岭的艰苦过程，爬过一山又是一山，仿佛是一段登天的旅程，直到人称高原明珠[1]的巨大湖泊展现在眼前，着实让马可三人眼睛一亮，大大赞叹“百闻不如一见”。

美丽的湖泊在布满白雪的巍峨群山环绕之下，更显得美不胜收。清澈的河水自湖泊中流出，沿着高原的地形向外伸展，犹如一条优雅迷人的水袖。所到之处，水草丰美，润泽清绿，生机盎然。又见野生牛羊错落群聚，饮水、吃草，好不快活。

“我们今晚就在这里扎营吧。”尼古拉是首先从陶醉中清醒过来的人。

“真的吗？实在太好了！”马可听到这个决定，真是喜不自胜，但

1 高原明珠：帕米尔高原上最大的湖泊——喀拉库里湖，素有高原明珠之称。

却忘了这里是空气稀薄的高原地带，太过兴奋容易导致缺氧，以至于差点儿一口气喘不上来，变得有点呼吸困难。

“你可别兴奋过度啊！小心你会呼吸困难哦！”马飞欧严正地规劝道。

“好啦！我知道了。我安静一点儿就是了。”马可不再兴奋叫喊了，但是脸上的表情还是喜滋滋的。

为了晚上可以睡个好觉，大伙儿七手八脚地扎好营地，同时也开始准备晚餐了。

“怎么这么久还没煮熟啊？”马可蹲在火堆旁边，脸上映着火光，一边纳闷着，一边喃喃自语。

“多点儿耐心吧。这里又不是平地，煮东西当然比较慢了！”马飞欧也蹲下来看着锅里的食物，慢条斯理地说道。

“为什么？有什么不同吗？”马可满脸疑惑。

“山上的燃点比较高啊！同样是火，但是温度较低，烹煮食物自然就比较慢。”马飞欧解释道。

夜宿帕米尔高原真是太酷了。尽管夜凉如水，马可仍然仰望着满天星斗，享受这难得的美好体验。直到父亲与叔叔三催四请，而他自己也感到十分疲倦了，这才心不甘情不愿地进入营帐沉沉睡去。

一夜好眠，翌日才能活力充沛地赶路。虽然马可三人已经准备了十多天的粮食，但在享受美景之余，还是非常努力赶路，毕竟天有不测风云，再加上这里人烟稀少，若有任何状况发生，恐怕求援

不易。

“前面有牧羊人！我们总算看到人了。”马可兴奋地指着前方的牧羊人说道。

“是啊！真是难得，我们下来休息一下，跟这位牧羊人聊一聊吧！”尼古拉也显得非常高兴。

马可三人与牧羊人热情地寒暄了一番，马可又按捺不住心中的好奇，问道：“请问你那羊群里有好几只羊，好像比较特别，请问它们跟其他羊有何不同吗？”

羊群里确实有几只羊的体型特别高大，一对羊角非常显眼，大概有六个手掌那么长，非常特别。

“这种巨羊的主要任务是在夜里帮助我护卫羊群，免于受到狼群的侵袭。事实上，它们的羊角也可拿来当作喝水的杯子啊。”牧羊人说着便拿出一只巨羊角杯给马可看，马可好奇地上下打量着羊角杯。

“对了！请问从这里越过帕米尔高原还要几天的时间啊？”尼古拉最关心的还是行程的进度。

“如果没有太大的阻碍，应该五六天之后就可以走完高原上的行程吧。”

“真是太好了！看来我们赶路的进度还可以。”

“对了！如果你们在一片白茫茫的雪地里，已经弄不清楚方向的话，注意沿路都会有一些野兽的角或骨头散置在路旁，那些都是我们平日沿途丢掉的废弃物。你们只要跟着这些踪迹前进，自然就不会迷路了。”牧羊人好心地提供建议。

“果真是出外靠朋友啊！非常谢谢你的提醒。”

有了牧羊人的指点，马可三人一路前进得更加有把握。在这个连飞鸟都难得一见的高山峻岭中，头上顶着万分湛蓝的天空，脚下踏着冰封大地的白雪，胸膛吸着清新洁净的空气，这长达 12 天的旅程，在马可的心目中，看来似乎是太短了一些呢！

第三章 进入大汗的管辖之地

撒马尔干的神奇石柱

翻越过帕米尔高原之后，等于进入了忽必烈大汗的管辖领域。马可三人首先造访的是一座宏伟繁华的大城市，名叫撒马尔干。这个城市早期是由大汗的伯父察合台亲王统治，察合台死后则由他的儿子继位，但由于前后两位君主的宗教信仰有所不同，造就了一段不可思议的传奇故事，而见证这段历史的，就是矗立在圣约翰纪念教堂正中央的一根圆柱。

进入圣约翰纪念教堂，首先进入眼帘的是一群围观的民众。

“哇！这果然是不可思议的神迹！”马可探头到围观的人群中，看着教堂中央的圆柱，忍不住惊叹。

原来眼前这根“顶天”却没有“立地”的圆柱，竟能支撑住教堂屋顶的重量，而不至于垮下来。这让大家全都瞠目结舌、议论纷纷，但马可很快发现有一位解说者在人群之中，他正娓娓诉说这段传奇故事。为了可以听得更清楚，马可微微移动步伐，更加紧挨着围观群众。

“看看这悬空的石柱，”解说员指向圆柱的底部说，“原本底下有个方形柱石，后来被回教徒强行搬走了。”他继续说道，“这是因为当年察合台亲王信奉基督教，兴建这座教堂时，缺了一块柱石，于是他命人把回教清真寺的柱石搬来这里。尽管当时回教徒对此感到相当不满，但由于亲王信仰基督教的缘故，回教势力相对较弱，因此虽然他们内心恨得牙痒痒的，但是不敢吭声，只得忍痛让基督教徒将柱石搬走。”

“后来呢？后来呢？”一位心急的孩子忍不住问道。

“这叫作风水轮流转，”解说员继续说明，“后来察合台亲王死后，他的儿子继位，这位新任的亲王信仰回教，回教徒欣喜万分，终于等到可以大声说话的一天，于是大胆提出要求，希望能取回那一块柱石。事实上，他们是希望借这个机会，干脆把教堂弄塌算了。”

“这时，基督教徒想，这可怎么办呢？”解说员故意装作很着急的样子，然后自问自答，“当然，他们只好虔诚祈祷上帝伸出援手。”

“结果上帝现身了吗？”一位中年妇女问道。

“哈哈！上帝没现身。”解说员再次指向石柱的底端说，“神奇的是，当年底下的柱石虽被搬走了，但圆柱就像现在一样悬在半空中，并没有因为失去底座而崩塌下来，教堂的屋顶也不受任何影响。我想，这就是神迹了吧！”他在胸前画了个十字，口中念着，“阿门！”

“这个故事是真的吗?”马可疑惑地追问。

“你认为呢?这就是这里的传奇故事啊!”解说员说完,继续带着众人前往教堂的另一个角落,讲解着其他关于教堂的各种传说。

“这真是太神奇了!”马可忍不住再次看看悬在半空中的圆柱,口里还不停地说,“这真是太神奇了!”

“没错!真是太有意思了。”马飞欧说,“不过,我们得继续赶路了!”

为了能够早日向中国皇帝忽必烈大汗复命,马可三人非常努力地赶路,五天之后,来到莎车王国,见识到许多精美的工艺品;又用了八天的时间,穿越满布葡萄园的和阗大省,到达了培因省。

由于接下来又要经过沙漠地带,马可三人准备了充足的饮水及食物,同时改骑骆驼,再次朝着广大无垠的沙漠前进。原本以为已经做好了万全的准备,但终究人算不如天算。

此时,远方的沙漠突然尘土飞扬,平静的沙漠掀起了一阵骚动,许多附近的居民携家带眷,甚至驱赶着牲畜,在沙漠中乱窜,但似乎都是朝着同一个方向奔驰。马可三人见情况不妙,心想着,也许又有马贼出现了,于是,也就跟着大家一起逃亡。

好不容易大部分的人全都在一个有水源的地方停了下来。这时尼古拉才有机会向身边的一位当地人发问:“请问这位朋友,刚刚是因为有马贼吗?”

这位看来相当豪爽的中年男子说道:“不是马贼,但也跟马贼差不多啦！是蒙古军队过境！”

“蒙古军队过境为什么要逃呢？”马可好奇地问。

“小伙子，你有所不知啊！”中年男子苦恼地说，“每逢这些军队过境，如果村民顽强抵抗，所有的财物都会被洗劫一空；如果我们去讨好这些军队，下场也同样凄惨，我们的牲畜会全部被杀光！”

“真够凶狠的！”马飞欧说，“所以，你们就每次都这样赶着牲畜，携家带眷躲到这里吗？”

“是啊！”中年男子无奈地说，“这也是没办法的事！”此时他似乎想到了些什么，“对了，你们稍微等一下。”

中年男子离开了一会儿，再次出现时，手里拿着一些食物和酒。马可三人面面相觑，感到非常惊讶。

“这是哪里拿的？沙漠里哪有这些东西？”马可忍不住问道。

“我到地窖拿的。”

“地窖？这里怎么可能有地窖？”

“因为每次都得躲一阵子，所以几乎每一家人在这里都有个地窖。”中年男子继续说道，“不过，我们不会轻易把地窖的位置告诉旁人的。等到我们离开之后，沙漠的风沙又会把地窖入口掩盖住，这样就不会被人发现了。”中年男子示意邀请马可三人一起享用。

回想刚刚一阵兵荒马乱跟着大家逃亡，想不到此时竟然可以在沙漠里吃着东西闲话家常，马可觉得这真是个难得的经历，于是，趁着大家酒足饭饱休息的时候，拿出笔记本记下了这一段故事。

不久之后，马可三人在这位中年男子的指点之下，继续骑着骆驼往车臣的方向前进。从车臣开始计算，还得走五天的沙漠行程，才能够到达另一个沙漠边缘的城镇——罗布镇。

罗布镇的沙漠恶灵

罗布沙漠非常大，要穿越它非常辛苦。如果从最宽阔的地方穿越，需要一整年的时间，而且沿路十分荒凉，没有任何住户或店家可以补给食物和饮水，因此，根本就是一件不可能的事情。幸好，若从最狭窄的地方穿越，大约需要一个月的时间，虽然路途相当艰辛，必须天天在寸草不生的沙漠荒原里行走，但只要有万全的准备，总能咬紧牙关走出沙漠。

罗布镇相当热闹，位于罗布沙漠的入口，所有往来旅客都会在这里暂歇，一方面可以养足精神，另一方面也必须添购接下来一整个月的食物及饮水，为进入罗布沙漠做好准备。为了安全起见，所有过路的旅客都会和当地熟悉路径的骆驼商队结伴同行，马可三人也不例外，随着骆驼商队的大队人马一起横穿沙漠。

这天夜晚，大伙儿好不容易终于来到可供休息的宿营地，此时马可爬下骆驼之后的第一件事就是到宿营地找水喝。

“啊！好咸好苦哦！”马可刚喝下一口水，这会儿全都吐出来了。

“哈哈！小兄弟！”骆驼商队一位满脸皱纹的老爷爷在一旁笑了

开来，说道，“不是每个宿营地的水都可以喝的。这一路上大约有三个宿营地的水又苦又咸，我劝你在喝水之前，还是先打听一下吧。”

“原来是这样啊！运气真不好。”

“我看你应该是第一次来这里吧？”老爷爷问道。

马可大致把这趟中国之旅的来龙去脉向老爷爷说明了一番，老爷爷听了不禁啧啧称奇，还开玩笑说：“见到中国皇帝时，别忘了替我问候他哦！哈哈！”

“对了！老爷爷，”马可按捺不住好奇心问，“所有的牲畜上都挂着响铃，是不是担心沙漠里会有马贼呢？”

“马贼？这里不只有马贼，还有可怕的恶灵呢！”老爷爷继续说，“这些恶灵会戏弄往来的旅客，有时会让旅客不小心睡过头，有时会让旅客被某些事情绊住，就是不让他们赶上骆驼大商队。”

“真的吗？好可怕哦！”

“更可怕的是，”老爷爷故意用低沉的声调说，“当骆驼大商队转过山脚下，已经看不见身影的时候，这些落后的旅客就会突然听到有熟悉的声音在呼唤他们的名字。这时候，如果真的依循声音的方向找去的话，这些旅客就落入死神的手中了。”

“为什么呢？怎么说？”马可追问。

“这是恶灵在搞鬼啊！”老爷爷说，“如果朝着声音的方向走去的话，这些旅客一定会迷路，最后也只能葬身在沙漠之中了。”

“听起来真是太可怕了。”马可觉得有些毛骨悚然。

“还有啊！小兄弟，”老爷爷继续说，“晚上如果听到大队人马前进的声音，你可千万别起床跟着去哦！”

“晚上会有奇怪的声音吗？”马可的声音听起来似乎有些颤抖。

“是啊！听说有人听到大队人马前进的声音，睡眼蒙眬地跟着前进，结果天亮了才发现已经置身险境了。”

“还有吗？听起来沙漠恶灵的故事真是多得吓死人！”

“当然还有。”老爷爷愈说愈起劲，“我还听说有人经过这片沙漠时，突然看见一支武装部队来势汹汹，结果为了躲避武装部队，迷失了方向，最后因饥渴而死。这些全都是沙漠恶灵搞的鬼！”

“那到底有没有人看过沙漠恶灵呢？”马可虽然感到害怕，不过还是半信半疑。

“恶灵的把戏还不止这样呢！”老爷爷似乎不想正面回答马可的问题，“这些恶灵白天还会假扮成旅客的样子，混在人群中，一逮到机会就会以同伴的模样将旅客带离队伍，让旅客迷失在沙漠中。”

此时，马飞欧正巧走了过来。“马可，原来你在这里！”

“你——你——你——”马可一脸惊恐地看着马飞欧问，“你是不是沙漠恶灵？”

“恶灵？恶你的头啦！”马飞欧故意作势要打马可的头。

“老爷爷在讲沙漠恶灵的故事嘛！”马可一脸委屈地说，“谁叫你刚好出现！”

“真的有沙漠恶灵吗？”马飞欧问。

“当然,这只是传说,没有人能够真正证实。”老爷爷说,“不过,因为这些传说,倒也建立了大伙行走这片沙漠的规矩。”

“什么样的规矩呢?”马可问。

“例如,所有打算要穿越沙漠的旅客,都必须与骆驼大商队同行,以确保安全。”老爷爷继续说,“又如,队伍中所有的牲畜脖子上都必须挂上响铃;还有,我们前进的方式都是采取集中密集的方式,这样才不至于迷失在这片广大的沙漠之中。”

“这倒是!”马飞欧说,“毕竟如果在沙漠中迷失了方向,真的就会‘叫天天不应,叫地地不灵’的!”

马飞欧的话语,似乎为这场“恶灵论坛”做出了最后的结论。他们两人挥别了这位爱说鬼故事的老爷爷,回去跟尼古拉共进晚餐。席间马可将老爷爷所说的沙漠恶灵传说从头到尾转述了一次。

“你啊!可别想太多。”尼古拉劝道,“咱们就老老实实跟着骆驼商队前进就可以了,不会有问题的啦!”

“我看你当时脸色都发白了,你真的怕了呀?”马飞欧试探地问。

“没有啦!才没有呢!”马可觉得很没面子,于是赶忙辩解。

但是,辩解归辩解。傍晚老爷爷说得绘声绘色的,仿佛沙漠中真有恶灵存在。再加上现在宿营地外头的风声呼呼作响,不知道是不是恶灵作怪,他愈想愈恐怖,他偷偷地望了望四周,还不由自主地把被子拉高,直到整个脸都藏进被子里,心想:“反正,眼不见为净!”这才慢慢沉入一个不受恶灵干扰的甜美梦乡。

沙州人的出生与死亡

经过一个月的长途跋涉，马可三人总算安全地横穿了罗布沙漠，来到唐古多省的沙州[1]。这个城镇里有许多供奉着神像的寺庙，大多香火鼎盛，人们对于信奉宗教相当虔诚。

入境问俗，马可三人也来到一座寺庙参观。寺庙里有许多信众对着神像虔诚膜拜，其中吸引马可目光的是，有两三位青年男子，都是带着幼龄的孩子在神前膜拜，口中还不断念念有词……

“请问……”马可随意找了身边一位当地妇人来问，“那几位青年男子，为何都带着这么小的孩子来祭拜呢？”

“你看，他们是不是都准备了煮好的羊肉当祭品呢？”妇人道。

马可伸长了脖子，仔细一瞧，在他们面前的供奉桌上，确实都有一盆羊肉，于是答道：“嗯，没错！”

“这是我们这里的习俗，”妇人热心地讲解，“如果有人生了儿子，父亲都会到庙里来请求一位神明保护这个孩子，同时也开始养一只羊，一年后把羊宰杀、烹调之后，再带着满周岁的孩子前来祭拜，以此酬谢神明的庇佑，并祈求让孩子长保平安。”

“原来是这样啊！”马可觉得很好奇，“那么，祭拜完之后呢？”

“祭拜结束之后，孩子的父亲就会将羊肉带回家，邀请所有的亲朋好友一起分享，让大家好好地饱餐一顿。吃剩的骨头也会收集起

1 沙州：即今敦煌。

来，放在精美的容器里面，妥善保存。”

从小在意大利长大的马可，从来没有听过这种风俗习惯，听到妇人详细的解说，感到非常有意思，也就随手把这些所见所闻记录了下来，并且好好地珍藏起来。这次碰巧见识了当地居民有关出生的风俗习惯，马可不免对当地人的死亡礼俗，同样感到十分好奇。

这天，马可和叔叔、父亲在一家郊外的餐馆用餐，当他从窗外望出去时，看到一座用彩色丝绸装饰的木屋。正当他在思索木屋的用途时，突然发现不远处有一列殡葬队伍，似乎朝着木屋的方向前进。

“我吃饱了！你们慢慢吃，我要去外面逛逛。”马可放下碗筷，一个劲儿朝着木屋跑去。

果然，殡葬队伍缓缓在木屋前停下来。

“请问你们在做什么？”马可礼貌地请教在树下休息的大叔。

“我们正要把死者的遗体送到城外火葬。”大叔说，“一路上会有好几个这样的临时站。你想想看，我们需要吃东西、休息，死者的灵魂当然也需要。所以我们也会在这里摆上一些酒食，提供给死者的灵魂享用。”大叔语气一转，“唉！这位死者已经过世好一阵子了。”

“真的吗？”马可非常惊讶，“那为什么现在才送去火葬呢？难道尸体不会腐坏吗？”

“这是命相师定出来的日期呀！”大叔说，“我们这里为死者进行火葬的日子，都要请命相师选个好日子，这样子孙才会更有福气呢！”

“但是如果太久的话，难道尸体不会腐烂、发臭吗？”

“不会的，”大叔娓娓道来，“为了防止尸体腐坏，我们会用绸布包裹住尸体，然后撒上大量的香料及药材，再加上棺材的木板大约有一个手掌厚，既坚固又厚实，而且接缝的地方还会涂上沥青和石灰的混合物，如此一来，就可以万无一失了。”

“原来有这样的规矩。”

“还不止如此呢！”大叔继续说道，“我们连搬运尸体的方式，都得听命相师的话哩！”

“怎么说？”

“像今天我们为了把尸体搬运出来，还把墙壁凿出了一个洞，特地穿墙搬出来的！”

“这又是为什么呢？”马可感到不可思议，眼睛睁得特别大。

“这也是我们这里的风俗之一啦。”大叔说，“听说如果不这样做的话，死者的灵魂会不得安宁，会为家庭带来灾难的！”

“原来如此！还真是特别呢！”

闲聊中，马可看见那长方形的棺材旁边，摆放着许多用纸做成的男人、女人、衣服、骆驼、钱币……，马可指着说：“请问那些是什么？”

“那个啊……”大叔循着马可指的方向看去，“那是要跟死者的遗体一起火化的，这样的话，死者在天堂不但有用人供他使唤，而且也不愁吃、不愁穿了。”

“哇！想得真周到啊！”马可喃喃自语地说，“连骆驼都有了，就算想去旅行也很方便哩！”

此时，震耳欲聋的乐器声突然响起，一下子打破了周遭的宁静。

"该上路喽！"大叔伸了一个懒腰，"小兄弟，我得走了。"

马可和大叔互道珍重，并且目送着殡葬队伍向前迈进，随着队伍越走越远，刺耳的乐器声也渐渐消失了。虽然马可与死者素不相识，不过望着殡葬队伍逐渐离去的画面，马可衷心祝福死者能够拥有平静的心灵，安心离开人世间。

赤斤塔拉城的火蜥蜴

离开了沙州，马可一行人继续朝北方前进，来到赤斤塔拉城[1]。这个城市非常大，需要 16 天才能穿越过去。

这天在北部山区的一家餐馆里，马可认识了一位新朋友，他是位突厥[2]人，名叫苏非卡尔。

"原来你们要前往上都拜见忽必烈大汗啊。"听到马可谈及此次东行的目的后，苏非卡尔感到非常新奇，他一副与有荣焉的表情，拍着胸脯说道，"我也是为大汗工作的人哩！"

"是吗？你做什么工作？"马可对于眼前这位朋友感到好奇。

"你们现在有空吗？"苏非卡尔突然站起身来邀请马可三人，"我

1 赤斤塔拉城：即今吐鲁番。

2 突厥：中国古代北方的游牧民族，后来迁徙到西方，改信奉回教，成为今日土耳其民族的祖先。

带你们看看什么是火蜥蜴[1],那么你们就知道我在做些什么事情了。”

“火蜥蜴?”这回不只是马可,就连马飞欧、尼古拉也都异口同声地发出疑问。

原本以为可以看见什么珍禽异兽,结果苏非卡尔却是带着大家来到一座矿石工厂,而且还拿出一块毫不起眼的石头给大家看。

“不会吧!这就是火蜥蜴?”马可难掩失望的表情。

苏非卡尔似乎知道这是必然的反应,他笑着说道:“这可不是一块普通的石头哦!”

马可、马飞欧、尼古拉轮流拿着那块石头上看下看、左瞧右瞧,就是看不出个所以然。此时,苏非卡尔又拿来了一块白布给大家看。

“这块布就是你手中的石头做成的。”苏非卡尔边说边带着大家往工厂内部走去,“我带你们去看看制作过程。”

原来所谓的火蜥蜴并不是动物,而是矿石。这种矿石最特别的地方,就是在压碎之后,会发现碎石之间夹杂着许多像羊毛般的白色丝线。将这些丝线取出烘干之后,放进铜盆里捣碎,再将所有细石粉末清除干净,就可以得到犹如羊毛般的细丝。这些细丝可以纺成纱线,然后再制成布。特别的是,这种布不怕火烧,甚至如果弄脏了,再放进火中烧,不但不会烧焦,还会变得像雪一样白。

苏非卡尔一边解释一边将手中那块沾有污渍的白布丢进火中,果然,不一会儿这块白布就变得十分干净了。

---

1 火蜥蜴:即今之石绵。

“真开心能有机会见识这种神奇的白布!”马可惊叹不已,直说这一趟真是不虚此行。

这是马可第一次见到这种火烧不坏的白布,而马可再次见到这种白布是在许多年以后,那是受到忽必烈大汗的请托,要他在回乡时,以这种白布作为礼物,送给罗马教皇留作纪念。

告别了苏非卡尔,马可三人继续朝北方前进到肃州[1]。肃州人们多以水果为主食,山区中最有名的特产就是叫作大黄的中药材,世界各地的商人都会到这里来购买,然后再卖给需要的人们。

“你看!好多人在租借马匹!”马飞欧指给马可看。

“真奇怪,他们明明就有自己的马呀!”

“这你可就不知道了吧?”马飞欧得意地说。

“是啊!为什么?”

“这里的山区沿路都有中药材大黄,”马飞欧继续说,“可是,这种中药材,牲畜可不能乱吃的,如果马儿误食了,马蹄可是会脱落的哦!”

“哇!好可怕!”

“所以,要进出这个山区可不简单,外地的马匹不认得大黄,很可能会误食,这时候只能靠当地的‘识途老马’啰!”

为了想看看大黄的样子,马可央求马飞欧特地带他跑了一趟当地的中药铺,总算亲眼见识到黄棕色的中药材——大黄。

1 肃州:即今甘肃省酒泉市。

在满足了追求新知的渴望之后，马可三人继续前行，通过肃州之后，接着来到甘州[1]。甘州是一个繁华的大城市，居民分别信奉佛教、基督教及回教。这里有三座基督教教堂，以及许多佛教寺院庙宇。旅途期间，马可见到许多佛像，有些佛像比人高大许多，有些佛像较小。每一尊佛像都制作得非常精美，有木雕的、石雕的，还有泥塑的……各有特色，而且表面上都涂上金箔，形象相当庄严。

马可虽然不太懂每一尊佛像的故事，但可以清楚地观察到，这里的人们对于佛像都相当崇敬。这天马可三人又来到一座寺庙当中，这里除了前来朝拜的信众之外，还有许多僧侣穿梭其间。

“听说这些僧侣们都遵循着不杀生、不吃肉、不结婚的戒律，生活相当节制。”马飞欧边走边说。

此时，大伙儿来到一尊庄严的佛像面前。

“你看！这尊佛像好特别。”马可注视着寺庙中的卧佛说道，“它不像一般佛像是站着的，而是卧躺着！”

“是啊，真是非常特别！我看它的身长大概有十步那么长呢！”在一旁的尼古拉也赞叹地应和着。

欣赏一尊尊庄严的佛像之后，大伙儿走出佛寺，眼看着天色即将转黑，尼古拉说：“看来今天来不及了，只好明天再去驿站了。”

“驿站？驿站是个什么样的地方？”马可问。

“哈哈！”马飞欧故作神秘地说，“明天去了，你不就知道了嘛！”

1 甘州：即今甘肃省张掖市。

飞马传书的驿站

天色才蒙蒙亮，尼古拉就起了个大早，把马备好准备出发了。

“走！我们到驿站去吧！”尼古拉催促着马飞欧及马可出门，同时伸手探进衣服口袋里，检查当初大可汗赐予的金牌，是不是已经带在身上了。

来到甘州等于进入了忽必烈大汗直接管辖的领域，也就是说，从这里开始，当年大汗赐予尼古拉和马飞欧的金牌就可以真正派上用场了。

三人骑行了一段不算远的路程，终于来到了驿站，放眼望去约有数以百计的马匹在驿站外待命，庞大的阵容非常壮观。

说时迟，那时快，突然间一匹快马飞驰而来，马可还未反应过来时，那匹马已经在驿站前停了下来，骑马的人立刻换乘另一匹马，继续像风似的快速飞驰前进。

“这到底在做什么啊？”马可看得目瞪口呆，“什么事情这么着急？”

“快递信件啊！”一旁负责照顾马匹的马夫回道，“我们这里有上百匹马，个个都是身强体壮，已养精蓄锐，就等着信差来这里交换马匹。也就是说，信差来到驿站，就可以把跑累了的马匹留下，换上精神饱满的马儿，继续前进，这样就能以最快的速度完成传递书信的任务。”

“传递书信的任务？”马可还是满脸疑惑。

“这样说吧！”马夫一边将刚刚那匹疲惫不堪的马儿拴好，一边说道，“因为大汗或其他官员经常有需要将重要的书信递送到全国各地去。为此，在每一条驿路上，每隔 50 公里，就会建造一个像我们这样的驿站，以方便传送书信。”

“那全国各地一共有多少个驿站呀？”

“大约有一万个吧！”

“哇！这么多啊！”

“路又多又长，驿站当然也就不少喽！”马夫继续说道，“我们的驿路是以汗八里城[1]为中心来修筑的，这些像蜘蛛网般四通八达的驿路，可以通往全国各地，非常方便！”

“那么，每个驿站都像这里一样，拥有这么多匹马吗？”马可好奇地问。

“嗯，每个驿站大约有 400 匹马。”马夫进一步说明，“不过，现在这里大约只有 200 匹马。”

“为什么呢？”

“其他 200 匹马都放到牧场上休息了，因为这些驿马都是轮流服役的。休息够了，就到驿站上工作；工作累了，就到牧场上休息。”

“这样的话，所有的马儿就能随时保持最佳状态，可以胜任每一次的任务了。对不对？”马可有所领悟地响应道。

“没错！”马夫还意犹未尽地说道，“事实上，除了驿马信差之外，

1 汗八里城：元朝的大都，位于今北京。

还有步行信差呢！在驿站与驿站之间，每隔五公里就会有一个小村落，负责帮大汗传送讯息的信差就住在小村落里，他们的身上都会缠着一条特殊的腰带，而且腰带上还会系上数个小铃铛。”

“小铃铛有特殊的用途吗？”马可问。

“你真聪明！”马夫继续说道，“这样他们在走路时，远远地就能听到铃铛的声音，如此一来，下一个村落的信差就可以及早做准备，等到这个信差到达时，下一个信差就可以在接过邮包之后立刻出发，丝毫不会耽误任何一点儿时间哩！”

“真有意思啊！”马可忍不住再次惊叹道。

“当然，除了送信之外，也可以送些别的东西，”马夫说，“例如在水果采收的季节，早晨从汗八里城采收下来的水果，第二天晚上就可以送到上都[1]献给大可汗享用。要知道，如果是一般的走法，大约需要十天才有可能到达哩！”

“对了，”马可提出疑问，“依据我们过去旅行的经验，旅途中经常遇到河流、湖泊或是沙漠，如果必须经过这些地方，驿马信差和步行信差也都可以顺利前进吗？”

“当然可以啦！”马夫说，“这些信差都会依照固定的路线前进，如果会遇到湖泊或河流，就一定会有准备好的小船和船夫待命；如果必须横穿沙漠的话，在沙漠的边境就一定能够取得足够的食物和马匹供信差使用，一切都会设想得非常周到。”

1 上都：元朝的夏都，位于今内蒙古的多伦县。

“听你这么说，真是先进啊！没想到这里的驿站制度做得这么好！”

正当马可又想继续问下去的时候，尼古拉已经等不及催促着大家往驿站内走。入内之后，尼古拉从口袋里掏出金牌，出示给驿站里的官员。

“没错！这确实是大汗赐予的金牌。”蓄着两撇小胡子的官员说，“请问三位此行的目的是……”

“我们是从意大利来的，此行是要向忽必烈大汗复命！”尼古拉简要地向官员报告这趟旅行的来龙去脉，终于得到官员的认可。

“明白了！我们会立刻通报上去，请三位先上驿馆休息。”

马可三人在一位仆役的带领之下，来到布置华美的舒适驿馆，随后仆役也将他们的行李搬了进来。由于必须等待大汗的指示，他们将在驿馆里住上一段日子。

几天之后，终于收到来自大汗的讯息，马飞欧从屋外跑了进来，高声嚷着：

“有消息了！有消息了！”

“大可汗怎么说？”尼古拉关心地问道。

“他要我们暂时住在这里，等到适合出发的时机，会再派员通知我们！”

“那要等多久呢？”马可问。

“不知道！咱们就且住且玩吧！旅行不就是这样子吗？”马飞欧

显得怡然自得。

只是没想到，马可三人这么一待就是一整年，在这一年之中，马可玩遍了甘州的大街小巷，也了解了当地的风俗民情，但是心里仍然热切地期待着再次出发的日子早日来临。

鞑靼人最早的都城

“出发了！”终于熬到了出发前往上都的日子，马可骑在马背上，兴奋地高举着右臂喊道。

“这么兴奋啊！”马飞欧道，“虽然就快到上都了，可是还有一段辛苦的路程呢！”

“没关系啊，我在甘州已经待腻了，非得开始旅行了，否则可是会发霉的哦！”马可还是不减开朗的心情。

“年轻人就是年轻人，永远都是精力充沛！”尼古拉开心地笑道。

怀抱着兴奋之情，马可三人从甘州出发，足足花了12天，抵达下一个城镇亦集乃城。亦集乃城位于沙漠边缘，来到这里最重要的任务，就是要备妥40天的粮食和饮水，因为接下来又要经历一次漫长的荒原之旅。

在这40天的行程里，几乎看不见任何花草树木，更见不着半个人影，只有寒风刺骨的冷冽天气，一路陪伴着他们走到哈喇和

林城[1]。

哈喇和林城是鞑靼人[2]正式建国后的第一个都城,非常具有历史意义。早期鞑靼人就像一盘散沙一样,散居在北方各地,并没有自己的国家以及君王,他们附属于另一个强大的国家,每年都会奉上自己所拥有十分之一的牲畜,进贡给这个国家的国王王罕。但是王罕并没有因此而善待鞑靼人,甚至还故意找机会派遣鞑靼人去打仗,好让这些战士战死沙场,最终目的就是希望彻底消灭鞑靼族人。

后来,鞑靼族人发现了这个秘密,大家都非常气愤,决定不再向王罕进贡。到了公元 1187 年,鞑靼人终于选出了成吉思汗作为自己的君王,而成吉思汗正是忽必烈大汗的祖父。成吉思汗是一位贤明而有能力的君王,因此,遍布各地的鞑靼人都愿意归顺,欣然接受他的统治,从此以后,鞑靼族人的势力就越来越庞大。公元 1235 年,成吉思汗去世之后,由第三个儿子窝阔台继承王位,为了掌理国家事务,窝阔台便在这北方的草原上,建立了第一个都城——哈喇和林城。

"这个城池真奇怪,到处都见不着任何石头!"马可观察周遭环境时说道。

"没错!"马飞欧也应和道,"这里的城墙都是以坚固的土墙建成,

---

1 哈喇和林城:位于今蒙古国首都乌兰巴托以西220公里处。

2 鞑靼人:原指散居于中国西北、蒙古、中亚、苏俄东部等地的北方民族,但自成吉思汗入主中原,接着忽必烈大汗改国号"元",正式登基称帝之后,鞑靼人即成为蒙古人的通称。

看看里面那座宏伟的城堡，应该就是统治者居住的地方吧！”

马可三人在哈喇和林城停留的时间并不长，但却听到了许多有关成吉思汗以及鞑靼人的故事，对于这些故事，马可都深感兴趣，并且也都一一记下，希望留待以后找时间慢慢整理。

几天之后，大伙儿便继续朝向北方前进，这回来到了西宁州，见识了当地很多野牛。这种野牛的体型犹如大象一般，除了背部一部分外，全身都长满了毛，有的是白色的，有的是黑色的。这种野牛非常多，被当地人用来当作运输工具。

新奇的事物还不止于此，这天马可来到一家中药材店铺，准备购买一些药材备用，却发现店铺里弥漫着一种特殊的气味。

“这是桌上这些药膏、药丸所发出的特殊香味吗？”马可问。

“那是西宁的特产——麝香的味道。”店铺中的掌柜进一步说明，“我们这里有一种动物叫作麝鹿，体型跟羚羊差不多，但头上没有长角，毛皮像鹿，有四颗牙齿，上下各两颗，体态相当美丽。这种动物非常特别，农历每月十五日时，公麝鹿肚脐附近的皮肉之间，会长出一个香囊，香囊里面的分泌物有着相当浓烈的香气，只要把香囊取下来，晒干之后就能制成麝香。这是一种香料，也是一种中药材。”

“原来如此！”马可再次拿起了面前的药膏，凑近鼻子，深深地吸了一口气，“这就是麝香的味道，真的很特别！”

离开了西宁，马可三人继续朝东骑行，途经宁夏省，来到了天德军。天德军曾经是当初欺负鞑靼人的国王王罕的地盘。但由于过

去的一场战争，成吉思汗打败了王罕，于是这里也变成鞑靼人的属地。如今这里是由王罕的子孙代为治理，王罕过去的子民和鞑靼人全都混居于此。

谈起当年的那场战争，当地人可说是无人不知、无人不晓。马可三人到市集里采购物品，无意中和贩卖驼毛布的鞑靼人聊起了那场战争。

“那场战争的导火线是这样的。”贩卖驼毛布的鞑靼人说道，“当年我们成吉思汗本想与王罕结成亲家，借此促成友好的关系，因此他派人向王罕提亲，希望他能将女儿嫁过来当媳妇。没想到王罕毫不领情，居然还说：‘成吉思汗真是无耻，居然想要我的宝贝女儿嫁给他的儿子，简直是门都没有！我宁可把女儿活活烧死，也不会让她嫁给成吉思汗的儿子！’”

“不会吧！当时成吉思汗应该已经很有势力了吧？”马飞欧说。

“没错！”布贩口沫横飞地说，“我们成吉思汗当然忍不下这口气，立刻召集所有兵马来到这里，决心要和王罕一决高下。”

“结果呢？”马可着急地问。

“当然是我们成吉思汗大获全胜，那个高傲自大的王罕也在激战中丧失了性命。”

“当时的死伤应该很惨重哦？”马可忧心地问。

“两方激战必然是这样的。”布贩的心情似乎缓和了一些，他继续说道，“不过，大可汗在征服这里之后，还是希望大家和平相处，于

是决定让王罕的子孙继续治理天德军。”

马飞欧拍手叫好，说道：“这算是大和解吧！”

“说得好，就是大和解！”布贩说，“后来王罕历代的子孙经常会娶大可汗的公主或皇族之女为妻哩！”

“幸好是皆大欢喜的结局！”马可松了一口气说道。

天德军的故事让马可对于成吉思汗有了多一层的了解，想着不久之后就可以见到成吉思汗的孙子——忽必烈大可汗，就觉得兴奋不已。于是，一路上只要逮到机会，马可就不断地询问鞑靼人的故事，仿佛正在阅读一本内容翔实的故事书，永远期待着下一章节的精彩内容。

张家诺城的大鹧鸪鸟

离开了天德军，连续几天日夜兼程，总算抵达了张家诺城，这里距离忽必烈大汗所在的上都，只有三天的路程，大伙儿决定在此好好歇息一番，等精神饱满后再上路。

趁着夜深人静，马可提起笔来，准备把这些日子的所见所闻一一记下来。由于前儿天经过的是鞑靼人的第一个都城，马可了解到许许多多关于鞑靼人的风俗习惯，这些见闻对于一向勤奋好学的马可而言，是相当宝贵的信息。

马可一边回想着路上的见闻，握笔的手也不停地移动，他写道：

鞑靼人习惯逐水草而居的生活，随着季节的变化，将牛、羊赶到温暖而有水草的地方放牧，也就是说，在一年四季之中，他们很少固定居住在某一个地方。

鞑靼人住的是圆形的屋子[1]，这种房子是由几根木柱支撑伞状屋顶，再用木条编织成的网状帘子绕着木柱围成圆形，并且留下一个朝南[2]的出口，而为了挡风、遮雨，房子外面还覆盖着厚厚的毛毡。这种房子组装相当方便，当鞑靼人需要随着季节变化而搬家时，可以整个拆卸下来，用马车连同行李一起运走。

肉类和马奶是鞑靼人的主食，马、骆驼、狗，甚至是田鼠，都是肉类的来源。

鞑靼人的婚姻制度很特别，只要男人有能力供养太太，要娶 20 个妻子也可以。娶妻时，男方必须给丈母娘一定金额的聘礼。结婚后，妻子必须负责一切家务，丈夫则是负责打猎和打仗。

……

或许是白天赶路赶得太累了，马可感到眼皮越来越沉重，眼前的文字也逐渐变得模糊，最后终于不敌睡意，在月光中沉沉睡去。直到破晓时分，马可才在热闹的鸟叫虫鸣中苏醒，准备应邀前往参观大汗的行宫[3]。

---

1 圆形的屋子：即今称蒙古包。

2 朝南：由于北风过于猛烈，鞑靼人认为大门朝南比较适当，同时也相信南方是个吉祥的方向。

3 行宫：帝王外出时居住的地方。

行宫所在是一处湖光山色的好地方，天上的雁鸟群飞、水中的天鹅优游，宛如人间仙境。

“这里的鸟类可真多啊！”马可兴奋地四处张望。

“当然了！这里的鹤就有五种。”一同前来的年轻向导开始热情介绍着周遭的鹤群，“第一种颜色像乌鸦一般黑，但体型特别高大；第二种是全白的，有着像孔雀般亮金色的圆眼睛，头是红黑色的，颈子是黑白色的，这种鹤的数量最多。”

“爸爸、叔叔，你们看！”马可如获至宝似的喊道，“那边除了向导所说的白鹤之外，还有一种鹤就跟我们意大利常见的鹤一模一样！”

“嗯！没错！”尼古拉和马飞欧点头应和道。

“那就是我要说的第三种鹤，看来你们已经很清楚了。”年轻向导继续说，“第四种鹤体型较小，头部两侧是漂亮的红色与黑色的长羽毛；第五种则是全身灰色，但有着黑红色的优美头形，也是属于较大体型的鹤。”

在这位年轻向导的带领下，马可三人走出皇宫，来到附近的一座山谷。山谷里养了数不清的大鹧鸪，放眼望去，非常壮观。

“那些小房子是做什么用的？”马飞欧发现山谷里有许多小房子，但显然不是给人居住的。

“这是大汗特别命人建造的小房子，”向导答道，“主要为这些鸟儿提供夜间休憩的地方。”

“平常也会特别派人喂食吗？”马可问。

"夏天时,大可汗命人在山坡上种植稷、稗等鸟类爱吃的果实、种子,好让它们每天都可以吃饱。"向导继续说道,"冬天野生的果实稀少,大汗则会派人将稷子撒在地上喂食,因为它们已经习惯喂食,只要负责饲养的人一出现,它们就会应声飞过来,非常有意思!"

"大可汗会经常到这里来吗?"尼古拉问。

"有时候,大可汗会亲自来赏鸟,"向导说,"但是如果没空过来的话,我们就会把这些鸟儿用骆驼载运到冬天的行宫。"

见识了大可汗饲养鸟类的做法,马可更加好奇,究竟这位中国皇帝是什么样的人?一想到再过几天就可以见到他的庐山真面目,马可内心感到十分澎湃,兴奋不已。

第四章 觐见忽必烈大汗

金碧辉煌的上都皇宫

告别了张家诺城满山满谷的鹧鸪鸟，马可等人骑行三天即抵达上都。这里是大汗的夏都，每年农历六月至八月，大汗都会住在这里避暑。

“里面请!”负责接待的官员彬彬有礼地邀请马可三人进入皇宫。

这座宏伟的大理石皇宫，四周环绕着城墙，城墙全长约26公里。城墙内绿草如茵、流水潺潺，好一幅美丽的景致。

“大汗在后花园打猎大概要结束了，我们可以顺道过去看看。”接待官员引领大家穿越皇宫继续往后花园前进。

花园里除了各式各样的花卉之外，还驯养了不少的鹿与其他各种动物。但是最引人注目的就是那数以百计被关在笼子内的猎鹰。马可正要开口问，却被接待官员的话引开了注意力。

“各位请往右前方看!”接待官员说,“远远的那位骑在马背上的就是忽必烈大汗了。”

由于距离太远,马可看不清大汗的英姿,便不由自主地伸长了脖子往右前方远眺。

“现在可能看不清楚,”接待官员发觉了马可渴望见到大汗的心情,他说道,“大汗稍晚会接见各位,到时候就可以当面看得一清二楚。现在,我先带着大家到花园里逛逛!”

“请问,刚刚尾随在大汗马匹后面的,是不是一只豹子呢?”马可似乎不太敢相信自己的眼睛。

“果然好眼力!”接待官员笑道,“那只敏捷威猛的豹子的确是大汗深爱的宠物。”

“那些关在笼子里的猎鹰也是吗?”马飞欧倒是提起了马可先前想问的问题。

“没错,大汗非常喜欢猎鹰,那里的猎鹰一共有 200 多只哩!”接待官员说,“大汗每个礼拜都会来探视铁笼里的猎鹰,有时候还会特地让豹子去追捕鹿群,然后把猎物赏赐给猎鹰当晚餐呢!”

大汗果然和一般人大不相同,就连宠物都如此威猛,马可忍不住去想象大汗的模样。此时大伙儿已经来到花园中心,这里有片幽静的树林,树林里藏着一座美丽的竹造宫殿。

竹殿内金碧辉煌,随处可见各种以飞禽走兽为题材的壁画,华丽的金柱更是雕刻极品,每根柱顶都是大龙的造型,龙头顶着屋顶,左

右龙爪向柱顶两侧伸展，龙身及龙尾则沿着柱子盘旋而下，雕工非常细致，龙形栩栩如生。

“屋顶也是竹子做成的吗？”马飞欧望着屋顶问道。

“您说得没错！”接待官员道，“搭建这座竹殿所使用的竹子全都超过三个手掌宽、十至十五步长，我们以竹节为基准，将竹子劈成一段一段的，每一段竹子可做成两片瓦，每一片瓦都相当厚实。最后再用两百多条很强韧的丝绳将每一段竹子捆紧，这样的屋顶就如您所见，非常扎实，无论遇到再大的风雨也不会损坏。”

听完了接待官员的解说，马可心想，用竹子建成的房子真是特别，又坚固、又轻盈，如果要搬家也会很方便吧。

“我看时间差不多了，”接待官员说，“我这就带领各位回房休息、梳洗一下，大汗准备在稍后接见各位，然后再与大家一起享用晚餐。”

尽管尼古拉与马飞欧在多年前已经见过忽必烈大汗，但是想到即将与“万王之王”的大汗见面，心里还是感到非常惶恐、忐忑不安。因此，更别说是第一次即将见识这种大场面的马可了。

“怎么样？我的衣服穿戴整齐吗？”马可不断地上下打量自己，还忙着请叔叔、父亲帮忙看看。

“很好了！”马飞欧看到马可紧张兮兮的模样，一时觉得好笑，自己反而不紧张了。

“记得把圣油带去，”尼古拉一边整理服装，一边提醒着马飞欧说道，“这可是我们此行的重大任务之一啊！”

“没错!”马飞欧正好找出行李箱里的国书,开心地说,“还有这封国书以及教皇委托我们携带过来的宝物。”

就在这样一阵忙乱中,马可三人总算打点妥当,接待官员也已经前来引领他们去正式拜见忽必烈大汗。

跟随着接待官员进入金碧辉煌的宫殿之中,马可忍不住四处张望,欣赏殿内气势非凡的金箔装饰以及雕工精致的木刻花纹,各种飞禽走兽的图案生动逼真,马可忍不住在心中不停地赞叹。

但随着越来越靠近大汗的宫殿,马可似乎感到自己的双脚正不由自主地颤抖着,最后终于在两排官员的陪同下,马可糊里糊涂地跟着父亲及叔叔,向忽必烈大汗行了跪拜之礼。

“起身吧!”大汗以手势示意他们起身并慰劳道,“这一路上各位辛苦了!”

端坐在上位的忽必烈大汗,中等身材,姿态雍容大方,鼻梁端正,黑色眼珠显得炯炯有神,肤色白里透红。马可心想,真不愧是“万王之王”,果然气度非凡。

“这就是耶稣基督墓前的圣油,”尼古拉谨慎地将圣油呈上后,立即解释道,“真是抱歉,原本可以早些到此复命,不料正好遇到教皇重新改选,耽搁了不少时间,再加上时局有些混乱,新选出的教皇一时没办法派出100位传教士与我们同来。但教皇为了表示对于大汗的感激之情,特地撰写了一封国书并挑选了精美的宝物,希望我们能当面交给大汗,尚请您能见谅!”

尼古拉说完后,马可与马飞欧随即将宝物及国书呈上,交给大汗身旁的侍从,然后再退回原位。

“没关系!这样我就很开心了,现在谈谈你们这趟长途旅行的所见所闻吧!”此时忽必烈大汗似乎想起了一件事,他问道,“这位年轻人既然不是传教士,那么应该是……”

“禀告大汗,”尼古拉说,“这位是我的儿子马可,今年二十岁。”

“原来是你的儿子啊!”大汗开心地说,“很好!很好!那就一起留在这里吧!”

听到大汗这么说,马可感到有些害羞,脸上微微发烫,心里却非常开心,他心想:忽必烈大汗虽然看起来相当威严,但说话的语气倒是非常和善呢!

接下来,马可三人将这趟旅行的过程,简单地向大汗报告了一番。大汗也不时提出一些问题,大伙一问一答非常开心。

“你们这趟旅途中的见闻,可真让我大开眼界了。”忽必烈大汗说,“我相信一定还有许多精彩的故事,等到日后再慢慢说给我听。现在,我们开始准备用餐吧!”

大汗命令一下,所有的宫女、侍从都开始忙进忙出,将一盘盘丰盛的菜肴端了上来。在忽必烈大汗的盛情招待下,马可三人与所有大臣共同欣赏精彩的歌舞表演,同时也开心地享受这难以忘怀的宫廷飨宴。

充满惊奇的宫廷生活

自从来到上都之后，马可三人每天过着养尊处优的生活，置身在豪华的宫殿，享受着美味的佳肴，还经常会有大开眼界的机会，似乎每天都有新鲜事，等待着马可去亲身经历。

这天，忽必烈大汗宴请来自吐蕃[1]与怯失迷儿的巫师，群臣与马可三人也受邀成为座上宾。席间，马可与马飞欧在座位上抽空闲聊。

“明天我们要跟着大汗回到大都喽!”马飞欧小声地告诉马可。

“回到‘大都’?”马可困惑着，就像是丈二金刚摸不着头脑。

“是啊!”马飞欧说，“因为这里气候比较凉爽，是大汗每年六月到八月避暑的地方，明天就是离开这里的日子了，所以，我们得跟大汗一起回去。”

“真的吗?”马可兴奋得差点儿叫出来，“又有得玩了。真开心!”

此时，宴会厅里发生了一阵小小的骚动，马可与马飞欧转头一看，原来是两位侍从正将一张小桌子搬进大厅中央，还摆上了一个杯子，同时倒入八分满的酒。等到侍从退下之后，一位巫师突然口里念念有词，双手也不停地比划着。说时迟，那时快，小桌子上面的一个杯子，突然不偏不倚地飞到了大汗面前的桌上。大汗开心地举杯一饮而尽，放下杯子之后，巫师又将杯子隔空送回小桌子。众人见状，不禁失声惊呼，连声说好，盛赞巫师的绝佳功力。

1 吐蕃：即今西藏。

“真厉害!”马可说,“那位巫师距离小桌子大约有十步远呢!”

“这可不是骗人的哦!”马可身旁的一位大臣说,“许多巫师确实都能够施展这样的法术哩!”

“大家总算亲眼见识到巫师的功力了,众臣千万记住,凡是巫师所交代的祭祀礼节,绝对不能轻忽。此外,明天即将举办遍洒马奶祭祀鬼神的活动,一定要确实办好才行。”忽必烈大汗声如洪钟,他有感而发地说,“朕一向认为全世界最令人崇敬的四大圣人就是创立佛教的释迦牟尼、基督教的上帝耶稣基督、回教的真主阿拉,以及拯救犹太人的摩西。朕尊敬这四大神祇,也祈求他们长佑我大元王朝国运昌隆、百姓安居乐业!”

忽必烈大汗话一说完,众人非常有默契地举杯祝贺,“恭祝大汗政躬康泰!万寿无疆!”宏亮的声音几乎响彻云霄,也为这场餐宴掀起了最高潮。

众人放下酒杯之后,开始享用令人垂涎的山珍海味。餐席间,马可再度与坐在身边的大臣聊了开来。

“刚刚大汗说明天有个什么洒马奶?什么祭祀鬼神?那是……”马可试图把问题表达清楚。

“明天你应该可以亲眼看见,”大臣说,“每年阴历八月二十八日,都是大汗回大都的日子,在这天,大汗都会遍洒马奶祭祀鬼神。”

“马奶?”

“对!”大臣说,“我们这里总共有一万多匹毛色纯白如雪的母马,

非常漂亮！大家对于这种马都非常尊敬，如果看到它在路上行走，就算是有权有势的王公贵族，也得赶快让路才行。从这种马身上挤出的马奶，只有皇族或建立战功的部族，才有权享用。”

“为何要在这一天把马奶洒在地上呢？”

“这是吐蕃巫师的建议，”大臣说，“据说如果这么做的话，可以保佑国泰民安、风调雨顺、五谷丰登呢！”

“看来，大汗对于巫师们的意见都非常重视。”

“巫师们的法术是非常惊人的，”大臣说，“有一次眼看着大雨即将倾盆而下，为了避免豪雨成灾，巫师们立刻登上宫殿的屋顶施法，没想到居然能够实时将云雾驱散，让天空顿时晴朗了起来！”

“哇！真是太神奇了，希望有天我也能亲眼见识这样的法术。”

马可觉得与博学多闻的大臣聊天，可以听到许多故事，也可以有许多学习的机会，于是他继续与这位大臣攀谈，“那么是不是可以再冒昧请教一下，请问您在朝廷中主要负责的工作是……”

“我和其他 11 位大臣的职责是去考察所有战场上的统领与战士，深入了解他们在前线作战的情形，然后向大汗报告哪些人应该得到奖励。”

“有战功的人就会受到大汗的赏赐吗？”马可问。

“一定要论功行赏，这样才能提升士气啊！”大臣说，“大汗会依据战功大小，分别赏赐银杯、金牌、盾甲、金银珠宝或是马匹等等。”

“拥有金牌有什么好处吗？”

“那是权力的象征啊!”大臣说,“一旦升格为统领十万大军的将领,会得到大汗赐予的狮头金牌,上面画着狮像及日月的图案,还会刻字:‘以大汗之名,不从命者死罪!’因此,他们可以随时调度国家的兵马,相当有权力!拥有这种金牌的人,为了显示他们的身分地位,马车上会有个伞顶,座位则是高级的银椅,非常有威严!”

“忽必烈大汗也是英勇的战士吗?”

“当然!大汗就是‘万王之王’的意思,”大臣说,“当年为了对付叛军乃颜的30万大军,忽必烈大汗亲自率兵迎战,结果把乃颜部队打得落花流水,最后英勇地收服了叛军。”

“最后那个乃颜被捉了吗?”

“那还用说,”大臣说,“当时乃颜看到自己的部队已经兵败如山倒了,本来想偷偷逃跑,但最后还是被活捉到忽必烈大汗面前。”

“这下子应该难逃一死了吧!”

“当然,”大臣说,“后来被判处死刑了,残余的部众也都归顺大汗,从此以后,再也没有人敢叛变,并且决定誓死效忠忽必烈大汗。”

想象着忽必烈大汗领军讨伐叛军的画面,马可打从心底佩服这位草原英雄。看着坐在不远处的大汗,马可觉得自己格外幸运,更加开心地吃起眼前的大餐了。

这场觥筹交错的丰盛晚宴,就在众人酒酣耳热的情形下结束。

对于明天,马可非常期待,他期待着可以再度让他大开眼界的大都之旅。

壮丽宏大的大都皇宫

前往大都的行程正式展开，马可三人随着大队人马，穿越蒙古大草原，沿着普里桑干河[1]，经过“汗八里城”旧城，进入“汗八里城”新城——大都。“汗八里城”这个名字，在鞑靼语里的涵义就是“皇帝之城”的意思。但由于风水师认为旧城风水不佳，容易引发动乱，于是大汗在河的对岸建立一座新城，正式定名为大都。新城与旧城只有一水之隔，新城建成之后，大汗要求部分居民必须从旧城搬迁到新城居住。

大都是一座正方形的大城，四周环绕着高耸厚实的城墙，每一边城墙长达十公里，高度约为十米，城墙底部的厚度则约为五米，但越高越窄，顶部只有一米多的宽度。城墙之上，每隔一段同样的距离，就有一个向上凸起的白色城垛，远远看起来，非常整齐、漂亮。

这座大城一共有 12 个门，东、南、西、北各面城墙都有三个门，每一个城门上均盖了一个城楼，再加上四个城墙角上亦设有城楼，所以，每一边城墙上等于有三个城门及五个城楼。每个城门都有超过 1000 名士兵负责看守，城楼内也都派有士兵负责瞭望，看守城池，同时还摆放着许多军械、武器，供士兵保卫城池之用。

大城的南边有一座被城墙包围的内城，城墙外面有一条护城河紧紧包围，内城之内还有一座白色城墙包围着内城，就像“回”字的

1 普里桑干河：即今永定河，位于北京市西南方。

模样，而大可汗的皇宫就在“回”字的正中央。外层的城墙边长约13公里，内层的白色城墙边长则为10公里，外层的城墙与内层的白色城墙相距1.5公里。

外层城墙每一边都有一个城门，且其四角边上及每一边正中央的城墙之上都设有一座城楼，总共有八座城楼，城楼内有士兵驻守，也是摆放武器的仓库。内层白色城墙除了南边的城墙有五个门之外，北、东、西三边都只有一个城门，但城墙上也设有八座城楼，同样是用来摆放武器及派兵驻守防御。透过最外层的护城河和两层厚实的城墙，以及人数众多的守卫士兵，最终目的就是为了要维护大汗的生命安全。

马可三人跟着大队人马进入外层城墙，来到两层城墙之间的中间地带，首先进入眼帘的是一片绿意盎然的草原景致。

“这里好漂亮哦！”马可赞美道。

“你看！”马飞欧指着前方说，“有白色的公鹿，还有黄底白花的母鹿……”

“还有之前看过的麝香鹿呢！”马可兴奋地指给父亲和叔叔看。

通过满地绿意的一小段路之后，一行人终于来到内层的白色城墙边，而大可汗的皇宫就在这道城墙之内。

美轮美奂的皇宫[1]简直让马可看傻了眼，涂满了红、绿、黄、蓝等各

1 皇宫：根据专家考察研究，马可·波罗所造访的这座皇宫，可能是现今北京故宫博物院（紫禁城）的前身。

种颜色的鲜艳屋顶,从远处就足以吸引众人的目光。光彩夺目的皇宫前方是大理石台阶,台阶的顶端则是一大片大理石平台,站在平台上,视野相当开阔,令人心旷神怡。

走进皇宫之内,随处可见各种鸟类、野兽、飞龙、勇士与美女等精美的图画及雕刻作品,就连天花板的设计也是巧夺天工的杰作,置身其中,足以让每个人都目眩神迷,迟迟不肯离开。

“宫殿后面是不是还有许多房间?好壮观哦!”马可问。

“是的,”接待大臣说,“后面还有许多房间,其中有一些房间是用来保存大汗的私人宝物,像是黄金、宝石、珍珠、银器等等,一般人是不能随便进去的。”

“这座皇宫对面好像还有一座宫殿,对吗?”马可望向户外的另一座宫殿。

“是的!”接待大臣说,“皇太子就是住在那座宫殿里。”

接待大臣在介绍完皇宫之后,顺路带着大家来到皇宫北面不远处的一座小山丘面前,这座小山丘大约只有 100 步的高度,占地面积也只有 1.6 平方公里,相当迷你。

“大汗非常喜欢这座小山丘,”接待大臣说,“绿丘上种植的全都是大汗最喜欢的树木。因为终年常绿,所以命名为‘绿丘’。”

“‘绿丘’这个名字取得可真好!”尼古拉颇为欣赏地回应道。

“这是一座人造小山丘,”接待大臣突然转身指向另一方,“各位看到前面那座湖泊了吗?”

“那座湖有什么特别的地方吗？”马飞欧问。

“那也是一座人造湖，”接待大臣说，“‘绿丘’就是由挖湖时所挖出的泥土堆积而成的！”

“哇！”马可叫道，“真的好特别哦！”

“湖里好像有好多鱼在游哩！”眼尖的尼古拉说道。

“没错！”接待大臣说，“这是引溪水进来所造成的人工湖，里面有各种各样的鱼类，大汗平常食用的鲜鱼，就是从这里捕捞的。”

“真有意思！”马可说，“那么今晚我们会吃到湖里的鲜鱼了吗？”

“真是嘴馋！”马飞欧轻轻地搡了一下马可，说道，“小心叫你去啃绿丘上的树木！”

“没有啦！只是说好玩的嘛！”马可话锋一转，调皮地说，“鲜鱼可以不吃啦！但是我们找个机会到外城逛逛，如何？”

这天，来到外城已经是傍晚时分了，晚餐之后，马可敌不过好奇心驱使，就是不肯等到第二天，硬是拉着马飞欧到街上夜游。

城里的道路就像棋盘一样，规划得非常整齐，道路之间的土地也规划成一块块四方形的格局，用来建筑房舍、庭院或公园，行走其间，非常赏心悦目。道路两旁则是各式各样的商店，极为热闹，即使到了晚上，也还有不少行人穿梭往来。

马可和马飞欧被应有尽有的商店街吸引，逛街逛得不亦乐乎，直到街道两旁的商店已经开始一一打烊了，这才发现时间已经不早了。此时，城里的钟楼开始咚——咚——咚——作响。

“糟了!”马飞欧想起什么似的突然大叫,“我们得赶快回去了!”随即拉着马可往住处跑。

“怎么了?”马可被弄得一头雾水,只好边跑边问。

“如果继续在街上……游荡……的话,”马飞欧上气不接下气地说,“我们……可是会被警备队捉起来的……要是那样的话……我们可就糗大了。”

“也就是说……”马可看到已经距离住处不远了,索性停下来说,“大钟响了之后就不能再继续待在街上闲逛了呢!”

“没错!”马飞欧也停了下来,大大地喘了一口气。

进屋之前,马可回头看了一下,果然看到全副武装的警备队正在沿街巡逻,他心想:“好险!”不自觉地拍了一下胸口,然后迅速跟着马飞欧进到屋内,很快地梳洗一番,随即倒头呼呼大睡,只是梦里全是惊险万分的历险记。

忽必烈大汗的生日宴会

住在皇宫里的生活,每天都是多彩多姿,但是最近皇宫里的气氛显得格外热闹,似乎有点儿不太寻常。

御膳厨房里的人,个个行色匆匆、忙进忙出;各个宫殿里也开始张灯结彩,施工的仆役经常爬上爬下,装置这个、摆设那个;搬运的工人也很忙碌,整天扛着大大小小的箱子,在皇宫里进进出出。

这天，有两位侍从捧着一大箱东西来到马可三人的住处。

“我是奉大汗的命令，将这些礼物送给各位。”侍从恭敬地说道。

其中一位侍从将箱子打开，取出了三件金黄色袍子。

“送给我们的？”马可第一个冲出来，兴奋却又疑惑地说，“好漂亮啊！但为什么呢？”

“再过几天，农历九月二十八日是大汗的生日，请三位穿着这件袍子准时赴宴。”侍从说。

“每位受邀参加大汗生日宴会的人，都能拿到这样的袍子吗？”马飞欧问。

“是的！生日宴会当天，会有两千位贵宾，包括各国使节、功臣和贵族等，都会穿着这样的服装出席。”侍从弯下腰再取出箱内的物品说，“另外，这三条腰带和靴子，也都是大汗赏赐给各位的。”

“辛苦您了，非常感谢！”尼古拉很客气地代表大家收下了这份礼物。接着，三个人就立刻试穿了起来，个个都觉得自己金光闪闪的，好不威风。

经过几天的热切期待，大汗的生日宴会终于来临了。

在这个大日子里，欢乐的气氛简直要达到了沸腾的状态。生日宴会场内、走廊上、穿堂里到处都是王公贵族，或是远从世界各地前来祝寿的贵宾，而且每个人都穿着大汗赠送的金黄色袍子，每一件都是同样的花色、同样的款式，非常有意思。由于随处可见闪闪发光的身影，无形中更增添了许多欢庆气息。

“请问大人，”马可问接待大臣，“虽然大家都是穿同样的服装，但有些人的衣服上还镶着珍珠、宝石，这些人的身分有何不同吗？”

“是的！”接待大臣说，“这些人都是大汗最欣赏的贤良忠臣，他们的衣服都是大汗特别赏赐的。”

“看起来应该非常昂贵吧！”马可问。

“没错！”接待大臣说，“那些衣服至少值一万金币哩！”

在欢乐气氛中，唯一格格不入的是，在进入大厅的每道门前，非常突兀地站着两个彪形大汉，一边站着一个，就像门神一样，而且手里还拿着好大一根木棒，看起来非常可怕。

“请大家直接跨过门坎，千万不要踩到或碰到门坎！”彪形大汉耐着性子不断告诫往来的人们。

马可小心翼翼地跨过门坎，但还是忍不住询问身边的接待大臣：“请问为何不能碰到门坎？”

“这是我们鞑靼人的规矩，”接待大臣说，“因为我们相信，如果碰到门坎会招来厄运。”

“外国人也必须遵守这个规定吗？”马飞欧也好奇地问。

“是的，”接待大臣说，“如果不遵守规定的话，衣服可是会被剥光的！如果抗拒的话，就是在讨打！你们应该已经看见那两位彪形大汉手上的棍棒了吧？”

“好可怕！”马可不由得打了一个冷颤。

生日宴会马上就要开始了，所有贵宾陆续依序就座。

大汗的位置高高在上，是坐北朝南的方向。他的服饰和所有宾客的样式一模一样，但材质与绣工就显得更加精致完美。皇后的位置在左边，皇太子坐在右边。皇族坐在右边较低一层的地方，他们头部的高度和大汗的脚刚好在一直线上；同样的，皇族妇女也依据家族地位高低，坐在左边较低一层的地方。至于其他贵族与臣子也是依据官阶品级，坐在事先安排好的位置上。但是，并非所有的宾客都有座位，绝大部分的臣子与贵族只能坐在地毯上用餐。

宴会大厅的正中央摆着一个大型镀金方柜，各边边长大约三步长。方柜表面雕刻着许多美丽的鸟兽图案，方柜里面摆着好大一坛酒，酒坛旁边则有四个较小的容器，里面分别装着马乳及骆驼乳等四种饮料。除此之外，里面还摆放着大汗专属的豪华酒杯及酒瓶。在宴席上配有座位的人，座位前方也会摆着一瓶酒以及一只有柄的酒杯，形状就像只大勺子一般。

此时，大汗身边一位蒙着面纱的宫女走到大方柜旁边，姿态优雅地将酒倒入酒杯，然后恭敬地呈给大汗。当大汗拿起酒杯饮酒时，乐队声同时响起，所有在场的人全都伏在地上，马可三人也连忙跟着大家做同样的动作，直到大汗把酒喝完，乐队才停止演奏，大家也重新回座。

“大汗每次喝酒都要这样吗？”马可小声地问接待大臣。

“是的！”接待大臣说，“这样才能表示对大汗的尊敬。”

“那么，那位倒酒的宫女，为何需要蒙着面纱啊？”

“这样才不会把不好的口气，沾染到大汗的美酒和佳肴之中啊！”

接下来，生日寿宴的重头戏正式登场。

大汗坐在高高的位置上，居高临下，接受来自世界各国的使节、贵宾以及臣子们的祝福，大家依序献上珍贵的宝物，恭敬地向大汗说些吉祥话，虔诚恭敬表达祝福之意。

“恭祝大汗福如东海、寿比南山！”

“贺喜大汗万寿无疆、寿与天齐！”

“敬祝大汗政躬康泰、福寿绵延！”

祝寿的话语一句接着一句，在宴会厅中此起彼落，大汗也满心欢喜接受大家的祝福。就这样，筹备多时的生日宴会，就在大家酒足饭饱的欢乐声中圆满落幕。

第一次参加如此盛大的生日宴会，马可在尽情欢乐之际，内心也更加佩服大汗，心想着：如此一位称霸世界的伟大君王，泱泱大国的风范果然不同凡响！

洁白祥和的新年庆典

随着日月更替、秋去冬来，年节的脚步逐渐接近，马可一想到人生中的第一个中国年即将到来，心中就感到莫名的兴奋。这次侍从们送来的是全白的高贵礼服，并嘱咐大家在新年庆典的当天，一定要穿着这套雪白的礼服出席。

"大汗经常送礼服给大家吗?"马可一边打开礼服穿在身上,一边问道。

"是的!"侍从说,"每年依据特定的节日,大汗总共会赠送 13 套礼服给宫中大臣或沙场战将。"

"13 套! 这么多呀!"马可惊叹道。

"没错!"侍从说,"事实上,大汗也会透过官府税捐收入以及工匠义务服务制度,不断制作新衣物赠送给贫民。当然啦,那并不是这种高贵的礼服,但至少可以让贫民穿得温暖。"

"怎么说呢?"正在忙着试穿衣服的马飞欧问。

"我们的税捐制度是这样的,"侍从解释道,"百姓贩卖羊皮、丝绸以及大麻等制衣材料,官府都会征收十分之一的税捐,也就是说,每十匹布料就要上缴一匹布料给官府,官府就会将这些布料集中到制衣工厂,再加上规定汗八里城内的工匠,每星期都必须挪出一天到工厂里做义工缝制衣服。这些做好的衣服,就会送到贫民手中,让贫民一年四季都有好衣服可穿。"

"真是德政啊!"尼古拉赞叹地说,"忽必烈大汗能够处处为百姓生活着想,果然是一位明君。"

妥善地将礼服收藏之后,马可已经耐不住性子要出门去了。

"爸爸、叔叔!"马可说,"骆驼商队应该已经来汗八里城了吧,我们赶快出发吧!"

原来每年都有成群结队的骆驼商队来到汗八里城,主要目的是

将珠宝、金饰、银饰、丝绸以及琳琅满目的各种商品献给大汗，同时经过12位专业的审查官核定之后，即可换取同样价值的金钱货币或珍宝、货物。

现场人声鼎沸，相当热闹。有些商人忙着从骆驼背上卸下各式各样的货物，有些则在树荫底下纳凉休息。较早到达的商人，则已经将货物一一呈给审查官进行核定，同时也领去了相当价值的报酬。

“你们看！”马可踮着脚尖、把脖子伸长，极力观看远处的景象说，“那位叔叔只领到一叠纸张，没有领到金子或银子呢！”

“哈哈！”马飞欧一听立刻了解了马可的疑惑，他解释说，“那也是钱呐！”

“怎么可能？”由于当年意大利并没有纸钞，因此马可一时之间无法理解。

“那是用一种特殊纸张制成的纸币，”马飞欧进一步解释说，“那种纸张的制作方式，是将桑树树皮和树干之间的薄膜取下，放进石臼里捣碎成糊状，然后薄薄地铺在平板上晒干，这样就会变成黑色的纸张，最后再将纸张裁切成长方形，盖上红色的官印，就成为有价值的纸钞了。”

“是啊！”坐在旁边乘凉的商人也插话道，“这样的纸钞很好用，只要是在大汗统治的地方都可以使用。”

“这位大叔，”马可向商人道，“您的纸钞可以借我看一下吗？”

商人很大方地掏出好几张纸钞让马可看个清楚。

“这些纸钞的大小不一样呢!”马可说。

“没错!越大张表示越有价值。”商人拿出其中大小各一张纸钞说,“像这张大的,就等于一个金币;这张小的,就等于一个银币。”

马可仔细地端详纸钞,发现上面除了有个大官印之外,还有几个像是签名的字样。

“请问这些名字是……”马可指着纸钞上的名字问。

商人凑近纸钞看着马可所指的地方,然后说道:“那个应该是负责印制纸钞的官员签名。”

“那会不会有人制造伪钞呢?”马可问。

“制造伪钞可是重罪呀!如果被抓到,是会被判处死刑的。”商人回道。

第一次看见纸钞的马可,突然灵机一动要求父亲尼古拉拿出一枚银币和商人换一张小张的纸钞,父亲也觉得挺有意思的,于是和商人做了交换,并将纸钞送给马可做纪念。

马可开心地拿着纸钞,像是得到一份宝贵的礼物。这时他又想到今早收到的白色礼服,心里又开始期待着中国年开年庆典早日到来。

白色新年庆典果然值得期待,大年初一清晨,天空才露出一点儿微光,皇宫里就已经是人山人海了。

由于在鞑靼人眼中,代表纯洁的白色能为人们带来幸福、快乐,因此,在新年初始,为了讨个好兆头,所有宫中大臣、王公贵族,以及

大大小小的官员，都已经穿好同款样式的白色礼服，来到皇宫之中，准备向大汗献上新年祝福。同时他们也互相赠送白色的礼物，并且互道"恭喜发财"、"新年如意" 等祝贺词语。在一大片白色人海中，个个笑脸迎人，处处洋溢着喜悦的气氛。

尽管人潮相当拥挤，但典礼的进行却井然有序。第一排是所有皇室成员的座位，第二排则是王公贵族以及各地亲王的位置，接着就是各级官员依据官阶的高低，循序排列位置，在殿内无法排进位置的人，就只能站在殿外、面朝殿内，跟着大家跪拜行礼。

此时，忽必烈大汗威风凛凛地走进大殿，随后就像每次大典一样，一头雄狮也跟了进来，乖顺地趴在大汗身边。大汗坐定之后，大典司仪高喊："叩首行礼！"

所有人都应声跪拜在地上，并齐声祝福："恭祝大汗政躬康泰，万寿无疆，福禄双全！"

接着，大汗开始接受献礼。

首先各地亲王进贡的是排列整齐的大象队伍，一共有上千头大象，每一头象背上都背负着两只精致的箱子，箱子里面全都是皇宫里用得上的金银器皿以及战士穿的甲胄。大象队伍在大汗面前循序前进，阵容相当壮观。每一头大象都穿着漂亮象衣，象衣上绣着金银丝线的鸟兽图案，那些栩栩如生的图案，在阳光之下闪烁着，显得格外亮丽。

大阵仗的象队之后，紧接着的是骆驼队伍，每一只骆驼同样穿着美丽的衣服，背上也满载着许许多多的生活用品，这些全是要进贡给大汗的献礼。

专程前来进贡的人们一个接着一个，有些人进贡的是黄金或布匹，最多人献上马匹，大汗每年在这一天都可以收到超过十万匹马。此外，更有能力的人，则是献上稀有的白马。

马可特别观察到，不论人们进贡哪一种物品，进贡的数量几乎都是 81 份或 81 匹。

“为什么都是 81 份呢？”马可好奇地问。

“因为 9 乘 9 等于 81，”尼古拉说，“鞑靼人认为这是吉祥的数字，象征着长长久久的意思。”

看到如此多不胜数的进贡礼物，大汗显得非常开心，全部浏览过一遍之后，正式宣布宴会开始。所有贵宾一一循序入座，美味的菜肴一道接一道端上桌来，歌舞团及乐师们也开始表演节目。宴席中，互道恭喜之声此起彼落，欢乐的气氛为全新的一年拉开序幕。

热闹非凡的打猎季节

每年 3 月底到 4 月初，是大汗出发前往海滨打猎的时节，马可、马飞欧以及尼古拉也受到邀请，跟随着大队人马出外打猎。由大都朝向东北方出发，前往驻扎狩猎的地点，大约需要两天的时间。打猎的行伍中，除了大汗之外，还包括皇子、皇后、妃子、王公贵族、狩猎官、

鹰师，以及大大小小的官员和随从人员，总计超过一万人。

负责搜捕猎物的是猎犬、猎鹰以及猛狮，它们是此行重要的角色之一。光是猎犬就有五千多只，这些猎犬由号称“猎犬守护者”伯颜和明安两兄弟负责看顾。看守鹰群则由另一支队伍负责，每一只猎鹰脚上都系着一块小金牌，上面刻有大汗、皇族或鹰师等主人的名字，以便在猎鹰完成打猎任务时，各自归还主人。

此外，大汗饲养的猛狮，体型相当大，由于非常凶猛，平时关在铁笼之内，直到运到适合狩猎的地方，才放它们出来猎杀野猪、野牛、野鹿等动物。

沿途中，猎鹰不断地执行猎杀的任务，尤其是大汗所饲养的猎鹰，个个都是捕狼高手，几乎没有任何一只野狼可以逃过它的利爪。

两天之后，大队人马终于来到海滨猎场，放眼望去尽是一大片大大小小的帐篷，其中，大汗的帐篷最为宏伟壮观，大到可以容纳一千名士兵进驻其中保护大汗。这个帐篷是以白、黑、红三色相间的狮皮制成，缝制得相当紧密，既防风又挡雨，非常保暖且坚实稳固。

马可进入大汗的帐篷之后，对于如此豪华的处所，不由自主地东张西望。每个厅堂和房间都有三根华丽的雕花金柱，气势非凡，就如同置身宫殿一般。

“叔叔，”马可抬头仰望帐篷的上方问道，“帐篷内的屋顶是貂皮做成的吗？真漂亮！”

“没错，”马飞欧说，“有部分是黑貂皮，但另一部分应该是银鼠

皮。这些都是非常昂贵的皮革。”

“有多贵呢?”

“鞑靼人称黑貂皮为毛皮之王,”马飞欧继续说道,“一件黑貂皮大衣,可是价值两千金币,非常昂贵!”

为了生活上的便利,皇后及妃子的住处紧邻着大汗帐篷,两个帐篷之间设有通道。其他帐篷之间并无通道,而是各自坐落在附近。

大队人马全部到齐之后,狩猎行动才正式展开。

狩猎队伍由“猎犬守护者”伯颜和明安两兄弟打头阵,除了五千多只猎犬之外,他们各自率领一万名部下进行狩猎,伯颜的部下全都穿着红色衣服,明安的部下则是穿着蓝色衣服。当狩猎队伍前进时,伯颜引领着所有部下,从大汗的右侧前进,明安则由左侧前进,两侧人马把整个狩猎场所全部包围,几乎没有一只野兽有办法逃走。

大汗坐在大象背上的木亭之中,木亭制作得相当细致,亭内布满金线织成的布料,装饰得非常美观,木亭外披挂着狮皮,非常醒目。对于患有风湿病的大汗来说,坐在这木亭之中观赏猎人矫健的身手、猎犬迅捷的英姿,以及享受成功猎捕野兽的快乐,应该是再好不过的事情了。

就像在竞赛一样,看守鹰群的队伍也开始让一只只猎鹰展翅飞翔,让它们去执行打猎的任务。众鹰齐飞,场面非常壮观。

“爸爸,你看!”马可有些激动地问,“那么多猎鹰飞走了,到时候如何把它们召回来呀?”

“放心啦!”尼古拉说,“你看那些放鹰人,他们不是都戴着头巾吗?除此之外,每个人手里都还有一个哨子,靠着这两样东西,他们就可以把放飞的猎鹰召回了。”

“原来如此,”马可得到了答案,但心里又多了一个疑问,他手指着远处问道,“那么前面高地上,插了一面旗子,那又是做什么的呢?”

“那是失物招领的地方,”尼古拉说,“这里有这么多人,总是会有人把刀、剑,甚至是马儿等各种东西弄丢,这时候只要去那里就很容易可以找回来了。”

经过一整天的打猎行动,果然不出所料,今年打猎的收获和往年一样,成果相当丰硕。

“请问伯颜大叔,”马可问,“这里为什么有这么多野兽呢?”

“这里属于禁猎地区,”狩猎官伯颜说,“除了大汗之外,其他人都不准在这里打猎。”

“可是这样大规模猎捕,会不会把所有的野兽全都杀光了?”马可问。

“不会的!”狩猎官伯颜解释,“为了避免这种情形,大汗有令,每年5月至10月间,全国各地都不准猎杀野兔、野鹿、鸟雀等各种动物。这么做的原因,就是要让这些野兽在这段期间,得以休养生息,持续繁衍下一代。”

大汗的打猎生活持续两个多月的时间,5月初回到大都——汗八里城之后,依照惯例一连举行三天的宴会,犒赏所有参与打猎的

人。宴会之后,大汗将再次前往上都避暑,好在那华美凉爽的竹殿里,度过5月至8月这段漫漫长夏。

在出发前一晚的夜里,大汗和马可三人以及几位大臣在御花园中闲话家常,享受着晚风习习的凉意。

“大汗,”马可问道,“请问您为何老是搬来搬去的呢?”

忽必烈大汗闻言大笑了几声。

“小孩子不要乱问!”尼古拉担心这个问题太失礼,连忙想要制止。

“没关系的,”忽必烈大汗笑脸盈盈地要尼古拉别担心,并且回答说,“或许因为我是鞑靼人吧!你知道的,我们可是逐水草而居的游牧民族呢!如果一直固定在同一个地方,恐怕都要发霉了。”大汗说完便笑了开来。

周遭所有人也被大汗的笑声所感染,全都开怀大笑。

“对了!”忽必烈大汗突然说道,“马可啊!这些日子以来,我发觉你真的很聪明,不但观察力很好,也非常好学,各种语言都学得很快。所以,我想麻烦你一件事。”

“有什么事呢?”马可很恭敬地说,“请您尽管吩咐!”

“你就来担任我的使者吧!”忽必烈大汗说,“我平常公事繁忙,没有办法亲自到全国各地去走访,深入了解民情。我想请你先帮我走一趟西南各省,然后回来向我报告你的所见所闻!如何?”

“真的吗?”马可有些受宠若惊,他重复说了两次,“我真的可以成为大汗的使者吗?”

“哈!哈!哈!”忽必烈的笑声极为洪亮,他说,“你一定可以胜任的!我相信你一定可以做得非常好!”

“真是太好了!”马可激动地说,“非常感谢大汗,我一定会全力以赴完成使命!”

在众人的恭喜声中,马可的心似乎已经飞到远方,对于充满未知的西南各省,他正以期待的心情,准备背起行囊启程出发了。

第五章 奉命出使中国各地

西南各地考察之旅

打包好所有的行李，马可郑重地向大汗、父亲以及叔叔道别之后，带着几位随从，启程出发前往西南各地进行访查。

离开都城十几公里之后，来到了普里桑干河畔，看见来来往往的船只，好不热闹。

“我们在这里停留一下，”马可对随从说，“河上那座桥好像很漂亮呢！”他一边说着，一边踮着双脚，眯着眼睛，望向前方不远处的那座跨河人桥[1]。

留下随从在原处等待，马可独自走向那座气势宏伟的大理石桥。走在弯弯的拱桥上，景致如画，清风迎面吹来，他感觉格外舒畅。然而，真正让马可眼睛一亮的是，桥上的每根柱子上都有着大大小小的

1 跨河大桥：即今永定河上的卢沟桥。

石狮子。凑近一看，只见淘气的小狮子趴在大狮子身上，大狮子则是手里抱着一只、脚下踩着一只，胸前还躲着一只，就像是和乐融融的石狮家族。马可看着非常喜爱，忍不住伸手摸了摸栩栩如生的大小狮子，内心由衷地赞叹着："这些石狮子雕刻得真好，既生动又可爱！"

告别了令人印象深刻的石桥，马可继续向西南前行，经过了许多葡萄园，也看见了一幢接一幢，外观非常壮丽的建筑物，最后来到了涿州城[1]。城里有许多佛教寺院，居民的手艺非常精巧，善于制作美丽的金线饰品。

一路上，马可和随从们边走边看，经过盛产葡萄酒的太原府[2]。抵达众多商人聚集的平阳府，而在参观了金碧辉煌的宫殿——泰津堡之后，马可继续向前骑行，来到了一条夹杂着许多黄色泥浆的哈喇木连河[3]畔。

这条河既宽且深，水流又非常湍急，完全没有办法搭建桥梁，只能搭乘渡船过河。河岸边有许多贩卖生姜、丝绸以及雉鸡的小贩，雉鸡便宜到令人不敢相信的地步。另外，这里还生产一种周长大约30公分，甚至45公分长的大竹子，这种竹子可以当作建材，也可以制作许多日常生活器具，对当地居民而言非常好用。

乘船过河之后，马可和随从继续向西方前进。骑行了几天，来到

---

1 涿州：即今河北省涿州市。

2 太原府：即今山西省太原市。

3 哈喇木连河：即今之黄河。

京兆府城[1],这个地方的君王是大可汗的儿子忙哥剌。忙哥剌非常贤明,深受百姓们的爱戴。

马可顺道前往皇宫拜访忙哥剌君王,只见皇宫建在平坦的草原上,四周环绕着坚固的城墙,城墙之内则有一大片花园环绕着宫殿,花园之中还点缀着几条清澈溪流,不时还能发现飞禽鸟兽穿梭其间,景致相当美丽,令人心旷神怡。

宫殿里全是大理石建造的房间和殿堂,墙上则悬挂着各种图画,金箔的装饰也处处可见,真是气派非凡。

为了不辱大汗所托付的使命,马可希望能够尽量多走走、多看看,以期深入探访民情,日后再向大汗报告。因此,住在皇宫固然舒适,但马可并没有停留太久,很快地又启程赶路。

三天之后,来到山谷地带的关中州[2],马可和随从们进入了一片森林之中。这片广大的森林就像是没有尽头似的,马可和随从们感到有些疲惫,于是找了座凉亭,暂时停下来歇息。

马可原本想小睡一下,岂知才闭上眼睛,就隐约听见不远处传来人们高谈阔论的声音,马可心想:正好可以向他们打听一下这路还有多远。

马可走出凉亭,果然看见一群人,有些人骑着马慢慢前进,有些则是两人一组,用棍子搭在肩上扛着羚羊和花鹿等猎物。

---

1 京兆府城:即今陕西西安市。

2 关中州:位于现今陕西省内。

“请教各位大叔，”马可向这群人问道，“从这里还要走多远才有客栈?”

这群人听到马可的叫声，也就停下了脚步。其中一位骑在马上的大叔，身上背着弓箭，头上还绑着一条毛巾，他热心地答道：“沿着这条路直往前走，黄昏之前应该可以到达客栈了。”

“哇！还有老虎，真厉害！”马可看了他们的猎物说道。

“是啊！今天有不错的收获。”大叔笑着说，“我们这里的人都是靠打猎为生，如果打不到猎物可就得喝西北风喽!”

“这个森林当中有很多野兽吗?”马可又看了那只被绑在棍上的死老虎一眼。

“没错！我还猎过熊呢!”大叔继续对马可说道，“你们要穿过这座森林，大约需要 20 天的时间，这段不算短的路程，可得随时注意安全啊!”

接下来的 20 天路程，马可的确格外小心，每到一个客栈或村落，就会详细打听接下来的路程，甚至找到同路人一起走，也好彼此有个照应。

好不容易穿过了森林，马可与随从来到了阿黑八里州[1]，这里人口众多，盛产生姜。许多商人将生姜贩卖到外地去，赚了不少钱。

离开这个城镇之后，又是一段艰辛的历程。马可事前已经打听清楚，也准备好充足的粮食和饮水，准备向严峻的环境挑战。果然，

1 阿黑八里州：即今陕西省汉中市附近。

沿路人烟稀少,放眼望去,全是山谷和树林,大约 20 天之后,马可才再次看见人影。

走出了山区,马可来到了人潮拥挤的成都府[1],这是一座非常宽广、繁荣的省城。许多发源于高山的河川都流到省城当中,有些河流既深且宽,甚至宽达 800 米,仿佛是一片大海。这些城内大大小小的河流以及城外的许多河流,最后全都汇集成一条河流,那就是鼎鼎有名的长江。顾名思义,长江非常长,如果沿着长江走,大约需要 100 天的路程才能走完。

看见长江上的一座桥,马可不禁想起了普里桑干河上,那座布满石狮子的跨河大桥。为了满足好奇心,他决定上桥去看看。

这是一座非常高大的大理石桥梁,桥身的两侧全是大理石桥柱,这些石柱支撑着美丽的红瓦桥顶。桥面上有许多各具特色的小铺,贩卖着各式各样的商品。正当马可兴高采烈地逛着小铺时,突然有人向他喊道:“这位兄弟!缴费吧!”

马可抬头一看,原来是过桥的收费处。他缴费时顺口问道:“这里这么多人,应该可以收到很多过桥费吧!”

“当然!”那位年老的收费员说,“这里每天总共可以收到 100 金币的过桥费呢!”

“这些过桥费全都用来做什么?”马可问。

“全都上缴大汗的国库呀!”

1 成都府:即今四川成都。

看来，这个繁荣的省城对于国库的贡献应该不少，这点应该向大汗报告才是。马可一边心里这么想着，一边朝着桥的另一头走去。不一会儿，马可又再次被身边琳琅满目的小铺所吸引，早把国事、天下事摆在一边，成为许许多多开心逛街购物的一员。

告别了人来人往的成都府，马可继续踏上另一段旅程。这次来到了截然不同的偏僻地带——吐蕃州[1]。

吐蕃商旅驱赶野兽妙招

进入吐蕃之后，真可说是举目荒凉，与成都府中热闹的景象，简直相差十万八千里。马可和随从们在荒烟蔓草中骑马前进，眼底所见全是残破的城墙和建筑物，几乎是个毫无生气的地方。

走了几天之后，终于看见一处简陋的客栈，一队商旅正在客栈里用餐。马可也下马准备用餐，同时补给食物和饮水。正当他把马匹拴好，走进客栈时，一位高头大马的壮年男子便吆喝道："年轻人，待会儿用餐之后，你们就跟我们一起走吧！"

等到马可弄清楚他说这话的用意之后，这才发现他原来是位面恶心善的商队大哥。为了做生意，他经常在吐蕃往来，他一眼看出马可初到这里，人生地不熟，这才邀请他加入商旅的队伍，一起前进、互相照应。

1 吐蕃州：即今西藏。

跟着商队一起旅行，果然让马可开心许多，一路上，能够听到许多当地的故事，也能学习到新鲜的事物。马可听说这里有最优秀的巫师，非常善于变幻出令人难以置信的奇迹；也有一种头颅像驴子那么大的巨獒，能够猎取野兽，就连巨大的野牛也不是它的对手。

赶了一整天的路，当夜幕低垂时，大伙儿开始生火扎营，准备过夜，那位面恶心善的商队大哥，热心地对马可说："这副铁铐给你，一定要把马腿锁住才行！"

"啊！"马可听得一头雾水，"我的马儿跟着我很久了，它不会乱跑的！"

"哈哈哈！我是怕它会被吓跑！"商队大哥笑着说道。

"那我更不懂了！"马可皱着眉头说。

"这里经常有饥饿的老虎出没，我们得先把它们吓跑才行！"

"怎么吓呢？"

"马腿锁好了吗？锁好就跟我来！"

此时，商队大哥搬来一堆又大又粗的竹子，并把这些竹子全都扎实地绑在一起。马可大致测量了一下，长约十步，周长约三个手掌，每一节的距离也是三个手掌。

"好了！"商队大哥说，"马可，帮我一起把这些竹子搬过去！"

他们把竹子搬到营火堆前，商队大哥大声吆喝着："大家都准备好了吗？"

"准备好了！"大家齐声回道。

“好!”大哥转向马可说,“现在我们把竹子丢进火堆吧!”

瞬时之间,火光飞舞。火焰的热力把竹节一段段烧裂开来,“劈里啪啦”的巨大声响响彻云霄,一旁的人们忙着掩耳遮眼,马儿也恐惧地跳跃、嘶鸣。马可也赶紧将耳朵捂住,直到爆裂声响结束为止。

“我终于知道为何要把马腿铐住了!”马可说。

“是啊!”商队大哥说,“如果不这么做的话,恐怕被吓跑的不只是野兽而已,就连我们的马儿也都会逃之夭夭了。”

跟着商队大哥在吐蕃州走过二十几天的路程,马可准备朝东前往建都州[1],于是依依不舍跟大伙儿道别,盼望日后还有机会再次聚首。

马可和随从进入建都州后,一路骑行到湖边,看见有位妇人在此采集珍珠。

“这些珍珠好特别!”马可忍不住赞叹道,“是这个湖里出产的吗?”

“没错,是这座湖里的珍珠,因为它不是圆形的,所以显得更加特别。”妇人一边低头工作,一边说道,“不过,如果没有大汗的命令,一般人如果任意采集这里的渔产、贝类,可是会被杀头的!”

原来这里的天然资产全属于大汗,除了湖内的渔产、贝类之外,附近还有一座山岳盛产珍贵的突厥玉[2],同样也必须经过大汗的许

1 建都州:即今四川省西昌市。

2 突厥玉:又称土耳其玉、绿松石或绿宝石,是世界上珍贵的稀有宝石。

可，才能入山采矿。

在建都州发现的新奇事物还真不少，这天马可又有新的发现。话说马可用餐结束后，拿了一枚银币付给掌柜，想不到却找回了一堆未曾见过的硬币。“请问这是……”马可拿起手心里的硬币问道。

“哈哈！”掌柜大笑道，“不好意思，客官一定是第一次来这里，这个是我们这里通行的盐币。”

“盐币？这个是盐做的吗？怎么做呢？”马可像连珠炮似的发问。

“没错！这是盐做的，”掌柜补充说道，“我们这里有许多盐井，制作盐币的方法很简单，只要先将盐井里的水打上来，加热煮沸一个小时让水分蒸发，就会出现糊状的盐巴，再将这些盐巴放进模型里，做成像小饼的形状，最后放在火边的热石头上，烘干变硬之后，再盖上特殊的印记，这样就成为可以流通使用的盐币了。”

“每个人都能做盐币吗？”

“当然不可以！”掌柜继续说道，“只有大汗派来的官员可以制作盐币！”

“一个盐币的价值是多少？”

“通常，八十个盐币可以兑换一枚金币。”掌柜说，“但是，商人如果把盐币带进深山或偏远地区，有时五六十个盐币，甚至四十个盐币，就能兑换到一枚金币。”

“为什么会这样呢？这样的话，商人不就赚翻了？”

“是啊！”掌柜说，“因为住在山里的居民，不太容易买到盐巴，所以会将这些盐币拿来烹调食物,等于是在向商人买盐巴了。”

“一般人也都把盐币当作食物吗?”

“不会的,”掌柜说,“一般城里的居民,都只会当作货币来使用。不过,如果是因为破损而掉下来的缺角,人们通常也会拿来吃。”

“这里不使用金币吗?”

“金币也是有的,”掌柜热心地拿出一枚长条状的金币给马可看,“这就是我们使用的金币了。”

马可第一次看见这种长条状的金币,趁这个机会赶紧仔细打量一下,然后满心感谢地还给掌柜,同时将自己的盐币放进口袋里,内心感到无比的满足。

哈喇章州的捕蛇机关

离开建都州,马可向南骑行,大约十天之后,来到了盛产金沙的布鲁郁思河[1],渡过布鲁郁思河就等于进入了风景秀丽的哈喇章州[2]。哈喇章州盛产脚力极佳的名马,此外,这里也有很多盐井,是个专门制盐的地方。

马可首先来到哈喇章州的首府押赤[3],为了深入探访百姓如何生

---

1 布鲁郁思河:即位于长江上游的金沙江。

2 哈喇章州:即今云南省。

3 押赤:即今云南省的省会昆明市。

活，他接受了当地居民热情的邀请，前往民居用餐。

看到满桌子丰盛的菜肴，马可不断地表示感激之意。

“不好意思，”主人客气地表示，“我们这里的人不吃面食，只吃米饭，不知道您习不习惯？”

“习惯，很习惯，”马可客气地说，但也提出疑惑，“可是，为什么你们不吃面食呢？”

“也不知道对不对啦！”主人解释道，“我们都认为，小麦做的面食有害健康，吃大米做的米食才能身强体壮。”

各地的观念果然有所不同，姑且不论是非对错，马可在餐席间，确实和大家聊得非常开心，也提到在建都州见识到的盐币，此时，民居主人的小女儿突然从口袋里拿出几颗美丽的白色贝壳放在马可面前。

“这是贝壳吗？”马可无法了解她的行动，一时感到非常困惑。

“这也是钱币！”主人看着马可疑惑的表情，以及小女儿淘气的样子，忍不住笑着说，“我们这里是把贝壳当作钱币啦。当然，偶尔也会把贝壳串成项链来佩戴。”

“真的吗？这也是钱币！”马可睁大了眼睛说，“那么贝壳的价值如何计算呢？”

“八十个贝壳可以兑换一枚银币。”主人回道。

“真有意思！”马可再次见识到新奇的钱币，觉得相当有趣。

餐后，马可向热情的主人道谢并告别之后，便和随从继续西行，踏上新的旅程。

约莫十天之后，马可来到了同样在哈喇章州境内的哈喇章城[1]，此地盛产黄金，也将贝壳当作钱币使用，不同的是，这里的贝壳都是从西方的印度运过来的。

马可沿途欣赏秀丽的山水景致，却闻前方不远处似乎传出嘈杂的人声，凑近一看，着实让他吓了一大跳。

一群人围绕在一只巨大又丑陋的鳄鱼旁议论纷纷，他们称呼这种鳄鱼"大蛇"。这条"大蛇"的体型壮硕无比，长约十步，宽约六个手掌，身躯像水桶一般粗大。靠近头部的地方有两条腿，腿上的爪子就像是老鹰或狮子的利爪，看起来非常凶狠。它的头更是大得吓人，眼睛像面包那么大，大嘴里的尖牙更是恐怖，只要一张开嘴就可以把一个成年人吞下肚。因此，不论是当地的居民或是各种动物，都非常害怕这种"大蛇"。只不过眼前这条"大蛇"已经沦为人们的猎物了，肚皮被划开来了，鲜血淋漓。

"你们是怎么捕到它的呢?"马可对人群张望了一下，随意找了个少年来问。

"这可真是一门学问了!"少年说完，便一把拉着马可往外走，"我带你去看看好了!"

这位少年带着马可来到河岸旁的沙地，地上有一条长长的沙坑，像是有人拉着酒桶拖过沙地所留下的痕迹，少年指着沙坑说：

1 哈喇章城：即今云南省的大理白族自治州。

“就是这里了。”

看到这条长长的沙坑似乎一直延伸到河边，马可猜测道：“难道这就是那只大蛇经过所形成的沙沟吗？”

“你可真聪明！”少年解释道，“这里就藏着我们捕大蛇的方法。”

“怎么说呢？”马可一脸狐疑。

“大蛇喜欢凉爽的环境，白天通常都躲在洞里休息，晚上才会出来觅食，”少年吞了一口水继续说道，“大蛇饱餐之后，一定得到河边喝水，而且每次喝完水之后，就会沿着同样的路径返回，然而这种习惯却成了大蛇的致命伤。”

“致命伤？”马可还是感到非常疑惑。

“对！”少年说，“我们先将利刃垂直绑在木桩上，再将木桩埋进沙沟里，仅露出尖锐的利刃，一路上暗藏着好几个这样的机关，如此一来，大蛇回程时，准会开肠破肚、必死无疑！”

“可是，”马可心惊胆战地问，“捕到大蛇之后会怎么处理呢？”

“先取出蛇胆啊，可以卖很好的价钱呢！”少年显得有些兴奋地说，“如果被疯狗咬了，喝一点胆汁，很快就会痊愈；妇女难产时，同样喝几口胆汁，就能够顺利生产。我还听说，如果有人身上长了脓疮，只要涂上些许胆汁，几天之后脓疮就会自动消失。”

这种捕蛇的方法，听起来颇为惊心动魄，马可将所见所闻记录了下来，接着继续向西方前进。路上还听闻了有关当地恶人的怪异行径：据说那些心怀不轨的恶人，在干坏事之前，总会随身携带毒药，一旦不小心被人抓到，就会立刻吞下毒药，他们宁可自我毁灭，也不愿意接受法律的制裁。有趣的是，官府也有一套对付这些恶人的办法，官衙里随时都备有狗屎，如果恶人被抓又服下毒药，这时就会被迫吞下狗屎，好让他们将狗屎和毒药全部吐了出来，以便能够在审问之后，接受法律的制裁。

离开哈喇章州五天之后，马可来到匝儿丹丹[1]，这里的居民习惯用金箔做成牙套，然后套在牙齿上，闪闪发亮。男子非常喜欢在手臂或腿上刺青，认为这就是勇猛、帅气的象征。他们将五根针捆在一起，用力地刺向皮肤，忍受着流血与刺伤的痛苦，在手臂或腿上刺出一条环带，最后再涂上黑色的颜料，成为身上永恒的记号。另一个匝儿丹丹的习俗也非常特别，这里的孕妇生产之后，必须立刻起床帮婴儿洗澡，丈夫则立刻准备开始照顾小婴儿，必须连续照顾40天，同时等着客人前来道贺。产妇除了要哺乳婴儿之外，所有的家务都由她来处理。

告别了随处可见金齿的匝儿丹丹，马可继续朝向西南方前进，这次到达了缅王国[2]的都城——缅城，这里也是属于大汗管辖的地区。进入缅城最引人注目的就是金银双塔，塔高约十步，两座圆形的塔顶上还各自悬挂着金色及银色的小铃铛，轻风徐来，高处的铃铛便清脆作响。

---

1 匝儿丹丹：又称金齿省，即今云南省西南保山市一带。

2 缅王国：即今缅甸。

“这可是世界上最美丽的高塔哦！”马可欣赏金银双塔看得入神，这才发现身边一位稚龄的小女孩正在跟他说话。

“你怎么知道呢？”马可蹲下来半开玩笑地问。

“我当然知道啊！”小女孩正经八百地说，“我娘说，很久很久以前，这里住着一位有钱有势的国王，他临死前交代后人要在他的墓前建造两座高塔，一座用一寸厚的金片包覆着，叫作金塔；另一座则用一寸厚的银片包覆着，叫作银塔。这两座塔是世界上最美丽的塔，阳光照耀时，闪闪发亮，再远的地方都可以看得到哦！”

金银双塔确实如同小女孩所言，耀眼夺目，令人印象深刻。

挥别了金银双塔，马可来到交趾国[1]，这个国家早已臣服大汗，年年准时进贡。这里的男男女女也喜爱用针来刺青，不论是手部、腿部或背部，都能看见各种动物的图案，他们认为全身上下布满刺青的人，才是最帅气、最漂亮的人。

游历了西南各地，马可见识了各种各样的风俗习惯，结交了许多新朋友，也学习了许多知识。这一趟西南之旅，可以说是满载而归。于是，马可决定踏上归程。一路上穿越了水牛极多的阿木省[2]、蕴藏大量金矿的秃落蛮州[3]、风景秀丽却经常可见老虎横行的叙州[4]，以及

1 交趾国：即今越南。

2 阿木省：即今云南省建水县。

3 秃落蛮州：即今云南省曲靖市。

4 叙州：即今四川宜宾市。

先前造访过的成都府，最后回到涿州，很快就抵达了大都。

马可将这一路上的所见所闻，一一向大汗报告。大汗不仅龙心大悦，也更深入了解了民情，明白应该如何造福乡里百姓。当然，大汗也已经和马可议定，等他休息一段时间之后，再派他到东南各省进行考察。

襄阳城的投石器大战

马可再次奉命前往各地考察，这回预计朝向东南方前进。

经过涿洲之后，马可来到河间府[1]，此地盛产丝制品，人们擅长用生丝和金线织成美丽的布匹和披肩。

几天之后，进入了长芦城[2]，这里有许多居民都是依赖制盐为生。人们把富含盐分的土壤堆在一起，然后再将水倒进土堆，土堆中的盐分遇水溶化，顺着水流流进旁边的小水沟，汇集在一个很浅的大锅里，大锅不到十公分深。大锅加热至沸腾之后，里面的水分逐渐蒸发，锅里就剩下盐。这里生产的盐，雪白晶亮，质量极佳，畅销各地。

离开长芦城，马可继续往南方前进，经过了临清、济南，来到了美丽的济宁城[3]。这里有一条又深又广的河川流过城南，并且在此分成

---

1 河间府：即今河北省河间市。

2 长芦城：即今河北省沧州市西。

3 济宁城：临清、济南、济宁城均位于今山东省。

两条支流，一条向东，流向契丹省[1]，一条向西，流向蛮子省[2]。每天往来的船只川流不息，总是忙着运送各式各样的商品以及手工艺品，是一个相当热闹又繁忙的城市。

在马不停蹄的考察路程中，马可途经许多繁荣的城镇，包括以枣子闻名的临州城[3]，以及商业极盛的邳州城[4]，最后来到哈喇木连河的河岸码头。

看着河面上一艘又一艘的船只，马可忍不住惊叹道："这里究竟有多少艘船啊！"

"可多着呢！"一旁的码头工人热情地答道，"这个码头足足可以停泊 15000 艘船。每艘船除了乘载船员和民生必需品之外，还可以容纳 15 匹马和 20 个人。更重要的是，这些船还能随时听候大汗调遣。"

"大汗何时会用到这些船呢？"马可问。

"很多情况啊！"码头工人举例说，"如果任何一座岛屿发生叛乱，这些船就可以装载军队及武器前往平乱呀！"

马可万万没想到这些船还有军事用途，于是对大汗可以随时调度这么多船只，感到相当佩服。

---

1 契丹省：即今东北一带。

2 蛮子省：指原本南宋统治的地区。

3 临州城：即今江苏省徐州市，马可·波罗由此进入江苏省境。

4 邳州城：即今江苏省邳州市。

这些船只大都停靠在河岸边，距离淮安城很近，淮安城是个大城市，它的对岸则是一座名叫海州的小城市。

淮安城东南方有一条堤道，堤道两旁是宽阔的湖泊，有许多船只在上面航行。沿着堤道往前走，大约需要一天的时间，就进入了蛮子省的领域了。当天晚上，马可来到了宝应州，这里的丝产量极高，金线织品非常美丽。

继续向东南前行，同样只需一天的路程，即可进入工商业发达的大城——高邮。当地盛产珍贵的雉鸡，只需要一枚威尼斯银币，就可以买到三只有如孔雀般大的雉鸡。

离开高邮之后，马可经过许多农村与耕地，到达了泰州城。泰州城是个富裕城市，大部分居民都拥有许多艘商船，全是富有的商人。接着，经过产盐的真州，来到东南方的一个重要城市——扬州，扬州百姓善于制造各种武器以及军用品，后来马可在大汗的任命下，在扬州担任官职达三年之久。离开扬州之后，马可来到蛮子省著名的城市——南京。这是个五谷丰登、牲畜满仓的富裕之地，尤其盛产生丝，可以织出各式各样的绫罗绸缎，堪称针织极品。

此时，马可想到了另一个也是盛产绫罗绸缎的城市——襄阳，同时也忆起了一段父亲尼古拉及叔叔马飞欧为大汗立下大功的前尘旧事。

话说当年由于襄阳居民顽强抵抗，再加上三面环湖所造成的地

理屏障，大汗一直无法顺利攻下襄阳城[1]，将其收归版图。然而，在得知大汗的烦恼之后，尼古拉和马飞欧决定大胆献计。

“我曾在西方见过一种武器，或许可以派得上用场。”尼古拉说。

“什么样的武器呢?”大汗相当好奇。

“是一种可以投出巨石的武器，”马飞欧补充说道，“这种武器可以把300磅重的大石头抛出去，攻击力非常强，一定能让襄阳城居民举白旗投降。”

“真是好主意!”大汗立刻要求尼古拉与马飞欧，“你们现在就开始建造这种投石器吧!”

遵照大汗的旨意，尼古拉和马飞欧开始着手设计投石器，工匠们依照兄弟俩的设计图，很快地建造出投石器。在大家齐心努力工作之下，只花了几天的工夫就建造出三架投石器。

为了确保投石器的功能，在尼古拉与马飞欧的指挥之下，进行战前实验。实验过程果然不出所料，在士兵的简单操作之下，果然成功地将巨石抛得老远，落地时还发出巨大声响，可说是破坏力十足。

大汗亲眼目睹了这震撼人心的实验过程，内心感到满意至极。随即命令士兵将三架投石器送上大船，火速运往襄阳城外，帮助前线将领作战。

当机器运到襄阳城外时，陷入苦战的军队立刻军心大振。前线将领立刻命令士兵们四处搜集巨石，同时在襄阳城外架好机器，准

1 襄阳城：即今湖北省襄樊市中心。

备进行一场前所未有的投石大战。

一切准备妥当之后，在前线将领一声令下，果然成功地朝向襄阳城内投出一颗接一颗的庞然巨石。一时之间，襄阳城内的建筑物遭到严重的破坏，市民也急忙寻找避难场所，顿时陷入兵荒马乱的窘境之中。

为了避免造成更大的伤害，襄阳城居民商议决定向大汗的军队举白旗投降。他们立刻派出代表，表示愿意接受大汗的统治，这才结束了一场长达三年之久的苦战。大汗对此结果非常满意，大大地奖赏了尼古拉和马飞欧，日后对他们也更加信任和尊重。

马可听说现今襄阳城非常繁荣，已经成为商业重镇。尤其当地盛产生丝，居民们利用金银丝线编织出绫罗绸缎，手工精致，华丽非凡，运往全国各地贩卖，深受人们喜爱。他心里想着，真希望有朝一日可以亲自造访襄阳城。

暂时抛开这段精彩的陈年旧事，目前马可打算离开南京城，前往 24 公里外的真州城[1]，那是一个位于长江边上的城市，马可相信在那里一定可以看见截然不同的城市风貌。

令人流连忘返的京师城

真州城不算是大城，但由于长江流经此地，船只往返相当频繁，

1 真州城：即今江苏省仪征市。

属于重要的交通枢纽。

放眼望去如同一片大海的长江，是由许多大大小小的支流所汇集而成，不仅水量丰沛，而且江面宽达 10 到 16 公里，非常壮观。

马可来到江边，发现江上航行的船只多得令人难以置信。他请教在江边工作的船员："这里每天往来船只的数量，应该很惊人吧？"

"没错！根据统计，每年在长江上往来的船只有 20 万艘以上呢！"船员就像个识途老马般诉说着长江的一切，他说，"这条大江流经许多地方，沿岸大约有 200 个城市，是非常重要的交通运输管道。像我们真州产盐，要把盐运送到全国各地，就得靠这些江上的船只。当然，各个地方也是借由这种方法运送货物到我们这里来。"

马可心想，长江真是一条相当重要的河流，日后可以建议大汗加强整治与管理，定能让长江发挥更大的功能。

挥别真州城，马可继续往东南前进，此次来到了一个小镇——瓜州城。这里盛产稻谷，汗八里城居民需要的稻谷，全都是由瓜州城负责供应。为此大汗特地命人在瓜州城和汗八里城之间，开挖一条河道，连接河川与河川、湖泊与湖泊，如此一来便可以直接通航，大幅缩短运送时间，这是大汗在位期间相当重要的建树。

在周游瓜州城之际，马可发现瓜州城对面的江中，有一座岩石小岛，名唤金山，在好奇心的驱使之下，马可决定登岛游览。没想到小岛上居然别有洞天，一座宏伟的寺庙矗立其间，庙里供奉着许多神像，僧侣人数多达 200 位，是个重要的佛教圣地。

带着欣喜的心情，马可从金山回到瓜州城之后，继续向东南方前进，这次来到了镇江府城。镇江府城居民以织造和贩卖丝绸或金线布匹为主，商业非常发达，是个相当富裕的城市。由于听说此地有三座基督教教堂，马可特地前往参观。

“这座教堂建于1278年。”教堂中一位基督徒对马可说，“其实，这里原本没有教堂，直到一位名叫马萨奇斯的官员到任，负责管理镇江府城，在他的积极努力之下，三年之内就建造了三座教堂。”

马可参观完教堂之后，随即离开镇江府城，一路上经过了多个美丽城市，居民同样是以经营丝绸编织的手工业和商业为主，包括常州城、苏州城、吴州城[1]、吴兴城[2]以及强安城[3]等地，最后来到了富裕繁华的京师城[4]。

先前经过的苏州城，素有“地上的城市”之称，然而，人们却将京师城誉为“天上的城市”。

京师城内的街道和运河都十分宽阔，陆上交通便利，水上运输也十分发达。城中横跨在运河之上的华美桥梁总共超过12000座，为了便利运河上的船只通行，许多桥拱都建得很高，即使是竖起桅杆的船只，也可以顺利通行。

1 吴州城：即今江苏省吴江市。

2 吴兴城：位于今浙江省湖州市境内。

3 强安城：即今浙江省长兴县。

4 京师城：即今浙江省杭州市。

城内大约有十余个大型广场和市集，四处布满了许多大大小小的店铺。每个市集在一星期中至少开市三次，每次都会拥入四五万人。在市集里，所有想象得到的东西，几乎都可以买得到。

市集里一年四季都可以买到新鲜的水果和香料，马可挑了几个又香又甜的梨子，也选了一些黄色和白色的桃子，等待稍晚前往西湖游览时，可以一边观赏湖景，一边享用美味的水果大餐。

沿路上，马可经过了热闹非凡的方形广场。广场周围高楼林立，一楼店面出售着各种各样的商品，香料、药材、装饰品、珍珠等，应有尽有，甚至还有美酒专卖店，不断供应顾客新鲜好酒。

放眼城里居民，大多身穿绸缎衣裳，看起来个个仪表端庄、气质高雅。尤其是富商的妻女，每天都打扮得相当美丽，拥有许多珍贵的珠宝首饰以及绸缎衣服。居民对房子的建筑也有很高的品位，尤其是西湖附近的住宅，全是富商权贵的居住之地，房屋建筑美轮美奂，再加上附近佛寺林立，交织出一幅美丽的湖岸风光。

湖面上许多画舫[1]往来穿梭，满载游客欣赏沿湖风景。马可也决定登船游湖。

画舫长约10步到20步，看来应该可以容纳20个人，船行相当平稳，感觉非常舒适。马可走进船舱，只见船舱四壁绘有许多美丽的图画，相当优雅别致。船舱内备有舒适桌椅，可以提供旅客在船上用餐。船舱两侧则有许多圆形窗户，游客可以坐在窗户旁边，饱览

1 画舫：装饰华丽的游船。

湖上风光。

马可也跟着大家坐在圆窗旁边，放眼望去，在宽敞的湖面之上，可以看见其他画舫在湖上航行，岸边则有参天大树，更远的地方甚至隐约可以看见宫殿、亭楼、花园等等，美丽的景致让马可感到身心舒畅。

“你们经常搭船游湖吗？”马可与邻座的妇人攀谈了起来。

“偶尔会来享受一番！”妇人道，“有时候我们会召集亲朋好友，干脆把整艘船租下来，共度美好的游船时光呢！”

此时，画舫在湖心的一座小岛上靠了岸。

“我们要上岸了吗？”马可疑惑地问妇人。

“对啊！”妇人答道，“待会儿可以上去参观一下。像这样在湖中央的小岛一共有两个，我们这里的人都会选择在这里举办婚宴，就算是要举办豪华婚宴也没问题哦！”

“为什么要在这里举办婚礼呢？”马可问。

“这里的景色很美啊！”妇人继续解释道，“况且这里的屋舍和举办婚宴所需要的器具设备，都是由我们这里的居民一起出资筹办的，当然要好好运用一番喽！”

马可对于这样的做法感到非常惊奇，登岛之后，果然看见了许多建筑精美的屋舍和凉亭，有些人家正在举行婚宴，非常热闹。尽管人声嘈杂，倒也乱中有序，每户人家各自使用不同的屋舍和凉亭，不会互相干扰。

参观完湖心小岛，马可随着大伙儿回到船上，继续完成游湖行程。马可心想，京师城果然是个有趣的城市，不知道明天还会发现什么有趣的新事物呢。

怪鸟传说的楚伽王国

处处充满惊奇的京师城，让马可忍不住想要多待一阵子。

京师城的街道全是由石头砖块砌成，每一条大街宽约十步，路面总是十分干净，再加上许多漂亮的街车来来去去，美丽的街景让人流连忘返。

马可入境随俗，也跟着大家搭乘街车游览花园。由马匹拖行的街车，外观长方形，上方有遮阳挡雨的车顶，车顶四周的布幔垂挂下来，美丽的流苏随风飘荡，别有一番风情。街车内部有六个座位，每个座位的垫子都用精美的绸缎包裹着，算是非常高级的享受。

“小朋友，你也是第一次搭街车吗？”马可问了身旁非常兴奋的小孩子。

“才不呢！”小孩子童言童语地说，“我娘经常带我搭街车逛花园！”

这里有许多人喜欢以街车代步，所以，街车的生意向来十分兴隆。街车载着游客到花园游览时，花园的管理人员就会前来引导车上的乘客，进入花园里阴凉的假山洞穴中休息，直到夜晚来临，再用

街车接送游客回家。

在搭乘街车时,马可发现街上经常会出现一些特别的石屋和楼阁[1],但似乎并没有人在里面居住。这晚来到餐厅用餐,马可趁机向掌柜提出自己的疑问。

“请教掌柜,”马可问道,“你知道街上那些石屋和楼阁是做什么用的吗?”

身材微胖的掌柜想了想,手指向对街说道:“您说的是对街那个石屋和楼阁吗?”

马可朝他所指的方向一看:“没错!那些石屋和楼阁是做什么用的?”

“是这样的,”掌柜清了清嗓子说,“那是因为我们这里大多是木头房子,这种房子最怕发生火灾!一旦失火了,我们就会赶快把家当全都搬进石屋或楼阁里,这样才不会倾家荡产啊!”

马可恍然大悟地说:“原来如此!这种应变方式挺不错的!”

“还不只如此呢!”掌柜似乎话匣子一开就不可收拾,他继续说道,“我们这里可有制度了。您知道吗?我们京师城一共有12000座桥,每一座桥都有十个卫兵负责守卫,五个负责白天,五个负责夜晚。入夜之后,他们每隔一个时辰就会用木梆敲打铜锣,一更时敲打一下,二更时敲打两下,依此类推!他们还有一个任务,就是当火灾发生时,一定会立刻猛敲铜锣,提醒大家赶快进行抢救工作!”

1 楼阁:两层以上的建筑物。

看他说得口沫横飞、兴奋不已，马可相信这位掌柜一定深爱着这个地方，当然也为自己在京师城居住为荣吧。马可虽然也深深为这个城市着迷，却终究必须启程好完成大汗所交代的考察任务。

离开了繁华的京师城之后，马可继续向东南前进，沿途尽是美丽的房舍及翠绿的菜园，途中经过了富庶的太平府；见识了衢州镇长达15尺、粗约四个手掌的巨竹；随后又经过常山、信州，最后到达了楚伽王国[1]。

楚伽王国的鸟类特别多，也经常有大老虎出没，游客来到这里，最好结伴同行才安全。

“这里的鸟类可真多啊！”马可沿路看见各种各样的鸟，不禁赞叹道。

“是啊！”与马可同行的游客说，“听说建宁府有种怪鸟，那其实是一种家鸡，虽然和一般的鸡一样会生蛋，但却没有任何羽毛，只有黑色的毛皮，就像猫皮一样！”

马可瞪大眼睛，相当惊讶地说：“这是真的吗？过几天我正打算去建宁府，不知道有没有机会亲眼目睹。”

马可继续朝着东南方骑行，六天之后，总算抵达建宁府。城里有三座美丽的桥梁，长约一百步、宽约八步。此地盛产生姜、棉花以及生丝。其中，棉花可以制成五颜六色的棉布，生丝可以织成精致华美的绸缎，居民们把这些产品卖到外地去，赚了不少钱。这里的妇

1 楚伽王国：即今福建省。

女相貌美丽标致，每天把自己打扮得漂漂亮亮，过着安逸奢华的生活。只可惜，这里什么都有，就是没见着那种披着猫皮的怪鸟。

离开建宁府，马可骑行三天，到达武干城，此地制糖产业相当兴盛，汗八里城宫廷里所使用的糖，都是从这里运送过去的。从此地再骑行 24 公里，马可抵达楚伽王国的首府——福州城。

此地有条大江[1]穿城而过，江面宽约一点六公里，两岸有许多高耸的建筑物。建筑物前面的江岸上，停泊着许多载满各式各样货品的船只。

“请问这些船上都装些什么呢？”马可虚心请教码头工人。

“糖啊！”码头工人一副理所当然的表情，“我们这里产糖，这些船只就是要把糖运送到各地去啊！”

“原来如此！”马可点点头表示了解。

“不过，也有许多印度商船啦！”码头工人热心地继续说明，“他们都会带来各种各样的珍珠宝石在这里贩卖，生意做得可好了！”

果然如此，马可沿路看见许多印度人正在贩卖各色珠宝，看来生意非常兴隆。

继续骑行几天之后，马可来到了繁荣的商港——刺桐港[2]。各国商人都将大批货物运送到此地贩卖，真可说是热闹非凡、盛况空前。马可找了个机会请教港口附近的印度商人。

---

1 大江：即现今流经福建省福州市的闽江。

2 刺桐港：即今福建省泉州市。

“生意不错吧!”马可问道。

“嗯!还不错啦!”肤色黝黑的印度商人说:“只是成本负担也很重啊!”

“怎么说呢?”

“我们来这里做生意,是必须缴纳税金的,”印度商人感到苦恼地说,“我们必须缴纳所有商品价值的10%作为税捐;另外,运费也非常昂贵,例如贵重商品的运费是商品价值的30%;檀香木、药材以及普通商品的运费则是40%;胡椒则要支付44%的运费。这些成本几乎是货物价值的一半以上!”

“这样还赚得到钱吗?”马可好奇地问。

印度商人突然变得有些腼腆,他搔着后脑勺说:“还好啦,还是可以赚到一些钱啦!要不然大老远跑来这里做什么呢?”说完便大笑了起来。

有道是“杀头的生意有人做,赔钱的生意没人做!”看来楚伽王国的确为大汗征得了许多税收,但是这些做生意的人也没亏到,每次远道而来,应该都是满载而归吧!马可心里这么想着。

楚伽王国是马可东南之行的最终站,结束了刺桐港的行程,就准备打道回府。回程中,马可内心不断地涌现这趟旅行中的所见所闻,一方面为了向大汗报告,另一方面也对这样的历程感到回味无穷,感觉人生经验更加丰富了,内心也更加充实了。

只是马可万万没想到,下一次的旅程竟然已是归乡之旅了。

第六章 归乡之旅

归乡船队正式启航

转眼之间，马可跟着父亲尼古拉、叔叔马飞欧，在中国已经住了十多年，在这段时间里，马可受到了大可汗的赏识，在扬州当官三年，也游历了中国各地，不仅生活无虞，也充满了乐趣。但是，想家的念头却一天比一天强烈，似乎是应该启程归乡的时候了。

然而，多年来，大汗的信任与款待，却让三个人开不了口，就怕大汗会感到难过而不同意，也害怕因此伤害彼此的感情。所以，究竟应该如何向大汗禀明想要回乡的心意，真是让三个人伤透脑筋。

直到公元 1289 年，马可归乡的机会终于到来。

这天，波斯王国的阿鲁浑大王派遣使者前来拜见忽必烈大汗，主要是因为大王的妻子已经不幸过世，因此，希望大汗可以挑选皇族中的美女，嫁到波斯国任新皇后。

为了和波斯国维持良好的邦交情谊，大汗下令进行挑选工作，经过一段时间之后，一位年仅十七岁的阔阔真公主脱颖而出，大汗决定将她远嫁到波斯国。

这件事轰动了朝廷上下文武百官，马可一家人当然也知道这个消息。

“看来这是个好机会！”尼古拉扯着胡子认真思索着。

“什么好机会？”马可一时还没意会过来。

“傻小子！”马飞欧拍了马可的肩膀，“护送阔阔真公主啊！”

“没错！”尼古拉说，“如果我们请求护送阔阔真公主，或许可以顺道向大汗表达归乡的想法哩！”

“对哦！”马可终于懂了，“这样很顺路哦！好想念威尼斯哦！”

面对马可一家人的请求，大汗虽然面有难色，舍不得他们离开，却也体谅他们离家已久，就同意由他们三人担任使者，护送阔阔真公主远嫁波斯王国，在完成使命之后，顺道返回故乡意大利威尼斯。

为了让阔阔真公主圆满嫁给波斯国王，关于这趟远行的行程规划、护送团队的安排，以及种种婚礼的准备工作等等，每一个细节都经过朝廷官员慎重分析讨论及细心安排。直到三年之后，也就是公元 1292 年，所有准备工作全都安排妥当，护送船队也正式成军，决定乘船走海路护送阔阔真公主前往波斯王国。

护送船队的阵容相当庞大，总共有 14 艘大船，每艘船配有 250 位水手，此外，每艘大船有两艘小船随行，小船上则各有 45 位水手。

由于这趟旅程估计需要花费两年的时间，因此船上备有许多生活必需品、饮水及食物。在一切准备妥当之后，所有船只全都在刺桐港集合待命出发。

出发前一天，马可一家人特地向大汗辞行。

“感谢大可汗这么多年的照顾和款待，这将是我们一生中最难忘的回忆。”尼古拉带着马飞欧以及马可，诚挚地在大汗面前下跪，表达感恩之意。

“大家请起！”大汗亲切地说，“其实，这些年来你们的贡献也非常多，我还得感谢你们呢！尤其是马可这些年来为了协助我探知民情，经常四处奔波，真是辛苦你了！”

“大汗，请您别这么说。”马可激动地说，“这些年来，受您恩宠，让我有机会走遍大江南北，是我三生有幸！真的非常感谢您，大汗！”

“唉！人生总是没有不散的筵席！”大汗依依不舍地说，“将来有机会，一定要再回来，这里随时欢迎你们回来啊！”

“谢谢大可汗！”马可三人几乎是异口同声地说，“我们一定会再找机会回来拜见您！”

长达18年的相处岁月，细数着回忆里的点点滴滴，在这个离别时刻，不禁让所有在场的人红了眼眶。

正所谓“少小离家老大回”，抵达中国时，马可当时二十岁，18年之后的今天，三十八岁的马可心中百感交集。尽管舍不得这个东方世界的山水人情，但对家乡的怀念却与日俱增，确实到了应该回家的

时刻了。

护送船队浩浩荡荡离开刺桐港，朝向西南航行 2400 公里后，经过一个大海湾，到达占婆国[1]。

占婆国虽然不是大汗的领土，但每年都会向朝廷进贡 20 头强壮而美丽的大象。这是由于当年大汗攻打占婆国时，兵力强大，势如破竹，老国王自知不是对手，主动表示愿意归顺，并且提出进贡的条件，高举白旗求和。大汗有感于老国王的诚意，决定让这场战争和平收场，并且让占婆国成为大汗的附属国。

离开占婆国，船队继续朝向南方的大爪哇岛及小爪哇岛前进。

"爪哇岛快到了！"一位老水手指着隐约出现在地平线的爪哇岛，兴奋地向身旁的马可说道，"这可是世界上最大的岛屿[2]哦！"

"真的吗？"马可好奇地问，"这个岛屿也是大汗的附属国吗？"

"不是！"老水手说道，"因为这里实在太远了，大汗最后放弃了征服此岛，但是我们跟这个国家还是经常有所往来！"

"怎么说呢？"

"大多是商业上的往来，"老水手说，"这里盛产胡椒、肉豆蔻[3]、生姜、丁香，以及其他各种香料，非常有名。因此像是刺桐或蛮子省

1 占婆国：即今越南。

2 最大的岛屿：文中所说爪哇岛是世界第一大岛，实乃当年人们的误解。事实上，真正的世界第一大岛是位于北美洲东北部，隶属于丹麦的格陵兰岛。

3 肉豆蔻：植物名。肉豆蔻树高可达20公尺，果实约为桃子的大小，果肉可食，具有略带辣味的香气，可作药用或制成香料。

的商人就会经常来这里,用金子换取他们的香料,然后卖到世界各国去,听说赚了不少钱呢!”

大爪哇岛的确是个繁荣的岛屿,但在1100公里外的海面上,则有两座无人岛,大的叫作桑都岛,小的叫作昆都岛。船队离开这两座岛屿,继续向西南航行约800公里,最后抵达富庶的罗斛王国[1]。

罗斛王国拥有自己的语言,使用一种色泽动人的贝壳当作货币,黄金多得令人难以置信。但国王为了避免财宝遭受掠夺,明确表示不欢迎外人造访,因此,鲜少游客到此揽胜。

离开罗斛王国,船队继续向南航行,大约距离800公里的海面上,有一座荒凉的彭丹岛。大队人马在此稍作休憩,马可也和父亲尼古拉、叔叔马飞欧一起下船走走,他们一起进入了荒岛的森林,森林里充满着美好的芬多精气息。

“好迷人的香气哦!”马可首先发出赞叹。

马飞欧深深地吸了一口气说道:“是啊!天天和海风作伴,都快忘了森林的味道了。”

“好久没有这种踏实的感觉了,”尼古拉也开心地说,“踏在陆地上的感觉真好!”

仿佛是“偷得浮生半日闲”,马可三人开心极了,躺在大树底下,脑海里浮现着许许多多的过往回忆,虽然回忆各自不同,但他们共同的想法是:距离家乡威尼斯愈来愈近了。

1 罗斛王国:即今马来西亚。

小爪哇岛的荒野传奇

结束了短暂的休憩光阴，庞大的护送船队从无人岛再次启程，途经马六甲岛国，来到了小爪哇岛。

小爪哇岛一共由八个王国所组成，马可此行造访了六个国家。首先来到菲勒芝王国，这个国家的人民什么肉都吃，包括人肉。有意思的是，居民们早晨起床看到的第一件事物，就会被视为当天应该膜拜的对象，因此，不论他们朝着任何事物在膜拜，全都不足为奇。

距离菲勒芝王国最近的巴斯曼王国，名义上虽是大汗的附属国，但并未进贡，不过每次大汗的使者亲临至此，居民便会主动奉上奇珍异宝，尤其定会奉上苍鹰，每次都让大汗龙心大悦。

来到巴斯曼王国，让马可想起了一个传说，马可询问当地居民："听说你们这里住着一种身材短小的侏儒人种？"马可曾见过有人把侏儒人种的"标本"带到中国。

"哎呀！你们都被骗了。"当地居民说，"那其实是一种猴子，身躯极小，但面貌与人类非常相似。它们是被坏心的商人捕捉杀死后，自然风干，再拔除多余的毛发，装扮成人的模样，再用樟脑等药物加以保存，最后拿到世界各地去贩卖！"

马可听后虽然为那些可怜的猴子感到于心不忍，但也庆幸能够破除过去关于侏儒人种的传说。

护送船队离开巴斯曼王国之后，接着来到萨马拉王国，原本只打算短暂停留，但因海上逆风强劲，无法继续航行，于是决定驻扎此地，等待风停之后再次起航。这是一个不得已的决定，因为听说这里经常有可怕的食人族出没，护送船队的处境相当危险。

为了避免惨事发生，马可在两千多人全都安置好住所之后，立刻下达命令："现在大家开始挖掘壕沟，防备食人族入侵！"

由于众志成城，在大家齐心努力之下，开挖出来的壕沟既深且长，壕沟两端甚至可以通往停船的港口。如此一来，壕沟就像是一条难以越过的界线，成为防止食人族进犯的屏障。此外，为了再增加安全保障，壕沟旁边更加盖了几座能让士兵看守的木造碉堡。

这项策略果然奏效，护送船队借此平平安安地度过了长达五个月的避难期。事实上，如此大阵仗的工程，完全吓坏了向来凶狠的食人族，他们甚至愿意依据约定提供所有成员足够的食物和饮水。

在这五个月的停留期间，马可仍然不改本性，总是找机会四处探访。这天和几位水手一起来到树林，发现许多树木被砍断，在截口处还悬挂着一只容器，有位土著正在查看容器里的东西。

"那个土著正在做什么呢？"马可好奇地问身旁的老水手。

"应该是正在查看有没有酒吧！"年迈的水手说。

"酒？"马可满脸疑惑地问，"酒从哪里来呢？"

老水手决定带着马可走近树木看个究竟，原来截口处一直有白色的液体流出，那容器就是用来盛装这些液体的。

"这里的土著不懂得如何造酒，这些白色汁液就是他们常喝的

酒，而且有些汁液还是红色的呢！”老水手说。

“这些酒会一直源源不断流下来吗？”马可问。

“问得好！”老水手笑着说，“一旦发现不流汁液了，他们就会引水灌溉，等到这些树喝水喝饱了，自然又能流出香甜的美酒了！”

在此地停留五个月之后，船队再次起航，来到花面王国。老水手提醒马可要请大家注意安全。

“怎么了？这里很危险吗？”马可问。

“非常危险！”老水手说，“这里的居民相当野蛮，如果不小心，恐怕会被他们抓去剁了吃掉！”

“好可怕！”

“他们连对待自己的族人也毫不留情！”老水手说，“这里的居民有一种野蛮而残酷的习俗。一旦族人生病了，会请巫师前来探视，如果巫师表示这个人可以痊愈，他们会静待病人痊愈。但是，如果巫师说病人不可能痊愈了，族人就会联手处决这个病人。”

“处决？”马可似乎无法理解。

“没错！就是处决！”老水手继续道，“一群人会合力把病人闷死，然后剁成一块一块煮来吃，就连骨头里的骨髓都要吸出来才行。”

“怎么会这么残忍呢？”

“这是有原因的，”老水手咽了咽口水继续说，“他们认为如果骨头里还残余骨髓的话，一定会生出虫来，那些虫终究会死，如此一来，死者就要背负让虫死亡的责任，这样反而是害了死者。”

“天啊!”马可惊叹道,“哪有这么荒谬的理论啊?他们居然把这么残忍的做法,当作是对死者的敬意!”

“是啊!虽然他们还是会恭敬地将死者的骨头放进美丽的骨灰坛,然后妥善保存在山洞里,以避免野兽的侵扰。但毕竟这种做法就是愚蠢而野蛮的啊!”老水手说。

“您说得没错!”马可说,“我会传令下去,要所有人特别注意安全,有必要出门时,一定得结伴同行。”

离开可怕的花面王国之后,船队来到南巫里王国。南巫里盛产樟脑及各种香料。

“这里应该不会再有食人族了吧?”马可特地跑去请教老水手。

老水手闻言大笑说:“这里应该没有食人族了!但是听说有一种长了无毛尾巴的野人,经常会在山野中出没呢!”

“但愿他们不会吃人才好!”马可衷心希望如此。

船队在此地并没有停留很长时间,很快又继续前往班卒王国。

班卒王国盛产世界上最好的樟脑——班卒樟脑。这种樟脑几乎就像黄金一样昂贵。此外,这里还有一种特殊的食材,叫树粉。

这天,马可和大伙儿一块用餐,他拿起面前的一块面包,掰了一块放进口中。

“这是大麦面包吗?真好吃!”马可问了身旁的老水手。

“不是!这是树粉做的。”老水手说道,“如果您有兴趣的话,用餐之后,我可以带您去参观制造过程。”

餐后,马可随着老水手前往树林深处。

在一大片广场上,放置着许多高大粗壮的树干,大约需要两个人环抱才能抱得拢。

几名工人正努力除去树干的外皮,取出树干中间的粉状物质,全部放进容器当中,然后加水搅拌。不一会儿,许多纤维和杂屑立刻浮出水面,干净的粉末则在水中沉淀。接着,把多余的杂质和水分去除,干燥后的树粉就可以用来制作饼干、面包等食品。

“您中午吃的面包就是用这种树粉制作的。”老水手解释道。

“真有意思,没想到树粉做的面包这么好吃!”

看过树粉的制作过程,马可在小爪哇岛的旅程也告一段落,他继续率领着众人朝下一站出发。

锡兰岛的佛教圣山

游览了小爪哇岛诸国之后,护送船队陆续经过了诺古朗群岛及安加曼岛。诺古朗群岛盛产红檀香、白檀香、椰子树、丁香和苏木[1];安加曼岛的居民则是个残暴的野蛮民族,头部和眼睛有点儿像狗,遇到别族的人,立刻杀而食之。

船队从安加曼岛朝向西南方航行约 1600 公里,顺利抵达锡兰

1 苏木:豆科植物的一种,又名苏枋木、红紫或赤木等,可作为药用或染料。

岛[1]。锡兰岛出产世界上最美丽、最珍贵的红宝石，同时还盛产蓝宝石、黄宝石、紫水晶等珍奇异宝。

“这里的森德拉国王拥有一颗世界上最美丽的红宝石，”老水手对马可说，“那块宝石如同手指一般长、手臂一般厚，血红般的色泽，晶莹剔透、璀璨夺目，毫无瑕疵，是世界仅有的无价之宝。”

“听起来好棒哦!”马可说，“如果有幸能够看上一眼就好了!”

“恐怕很难吧!”老水手说，“大汗曾经派遣使者向国王表示，愿意以一个城市来换取那颗红宝石。不过，最后还是被森德拉国王婉拒了，因为他认为世上没有任何东西可以取代那颗宝石，可见得红宝石在国王心目中的地位了，一般人恐怕很难见到的吧!”

登岛之后，马可仍然趁此机会四处探访，希望能够见识或学习新的事物。这里有一座极高的山岳，引起了马可的注意。他请教一位岛民：“有人可以登上那座高山吗?”

“当然有啦!”岛民说，“那可是座圣山，许多人一心向往着要去登顶朝圣哩! 但如果要攀爬到山顶，可得借助一种特别的铁链才行。不过别担心，到了山上就能发现许多那种铁链了。”

“这是座怎么样的圣山?”马可继续追问。

“您知道释迦牟尼佛吗?”岛民继续说道，“他是古印度的王子，原本可以享尽荣华富贵，但却一心追求佛法，决定离开尘俗的干扰，希望能为众生寻求更好的生存方式。然而，他的父王却无法认同，希

1 锡兰岛：即今印度南方的斯里兰卡。

望他能继承皇位、传宗接代。后来，释迦牟尼佛为了坚持自己的理想，独自偷偷跑到这座高山上，开启了修行的生活。”

“最终修成正果，成为人们心目中至高无上的佛祖！”马可接话道。

“没错！”岛民说，“为此有许多虔诚的信徒都从四面八方到此圣山膜拜。我们连释迦牟尼佛的毛发、牙齿以及使用过的脸盆等圣物，全都好好地保存下来，并且会在各种适当的仪式或场合中展出。”

“我想起来了！”马可忆起了过去在汗八里城举办的佛教盛事。

那是在 1284 年，大汗曾派遣使者到锡兰进行交涉，希望能够得到一些圣物。当时锡兰国王被大汗的诚意以及使者的不畏路途艰险所感动，决定致赠大汗两颗佛牙舍利、一些佛发舍利以及一件精美的青宝石容器。

大汗得到这个好消息之后，立刻下令汗八里的居民，出城迎接这些珍宝，当时全城兴高采烈的场面，可说是盛况空前。

马可万万没想到，多年后的今天，居然能有机会亲自造访锡兰这个国家。

离开了锡兰，船队向西前行一百公里，来到了印度最富足的国家——马巴儿王国。

马巴儿王国和锡兰岛之间有一处浅湾，深度只有 4 至 12 米，出产大量珍珠。

马巴儿王国的接待人员，引导马可、尼古拉、马飞欧及其他船队的成员参观采珠场，了解采集珍珠的过程。

放眼望去，大大小小的船只散布在浅湾各处，船上的潜水员人数不一。商人雇用的潜水员腰间总是系个网袋，一个接一个跃入海中打捞海底的珍珠蚝，直到憋不住气，才回到船上，将珍珠蚝放在船上，稍事休息一会儿之后，又再次跃入海中，不断反复地辛苦工作。

由于珍珠就藏在珍珠蚝当中，商人取得珍珠蚝之后，再交由工人将珍珠蚝的贝壳掰开，取出藏在蚝肉之中的美丽珍珠，贩卖到世界各地。

“在海湾中采珠，还是有危险的，”接待人员说，“这里经常会出现可怕的大鱼，伤害深入海底工作的潜水员。”

“那你们怎么解决呢？”马可问。

“我们会请巫师运用巫术来迷昏大鱼！”接待人员说，“只不过，这种巫术只限白天有效，入夜之后就失效了。不过，这也有好处，如此一来，那些想趁夜晚盗采珍珠的人也就望之却步了。”

“这里一年四季都有人采珠吗？”马飞欧问。

“我们国王有令，四五月之间才能下海采珠，事实上，5 月之后，这片海域的珍珠蚝就几乎被采光了。”

“他们每年只工作两个月吗？”马飞欧好奇地问。

“不是这样的，”接待人员解释道，“5 月之后，商人们就会把船开到 480 公里以外的地方，那里从 9 月份开始采珠，直到 10 月下旬为止。”

“商人采集珍珠可以赚到很多钱吗?”尼古拉问。

“商人的收入确实丰厚,”接待人员说,“不过,商人们也并非全数中饱私囊,除了必须支付工人薪水之外,还必须上缴十分之一的税金给国王,而负责迷昏大鱼的巫师则可以拿到二十分之一的酬劳,其余的才是商人的全部收益。不过,由于珍珠可以卖很高的价钱,所以商人也相当乐意经营珍珠事业了。”

马巴儿王国除了珍珠闻名之外,炎热的天气也是名不虚传,许多居民仅在腰间系了一块布,就在街上四处走动,就连国王也是如此,只不过他腰间的那块布质料比较高级罢了。

这天马可走在街上,远远地看见一群人凑在一块儿,他走近一看,被人群层层包围的居然就是国王,旁边还有个外国人。

“这到底发生什么事了呀?”马可随意问了位围观的妇人。

“好像是国王欠了那位外国人债务吧!”妇人道,“你看地上,国王站的地方被划了一个大圈圈呢!那圈圈就是那个外国人画的。”

“那个圈圈有什么特别的意义吗?”马可问。

“那是专门用来对付欠债不还的人。”妇人道,“我国法律明文规定,如果有人欠债不还,只要债主在地上画个圈圈将这个人围住,如果这个人不能给债主满意的答复或者把应该偿还的债务还清,就不能走出那个圈圈。”

“但若这个人真想跨出圈圈,有谁拦得住呢?”

“如果有人胆敢如此,就会难逃死刑的命运了!”

“哇！这么严厉呀！”

“是啊！就连国王也得遵守规定呢！”妇人道，“你看，国王现在一定已经派人回宫去拿钱还债了。”

马可心想，虽然国王欠钱不还，实在有些丢脸。但是能够以身作则，遵守法律规定，真的令人非常佩服。

离开马巴儿王国，经过了盛产胡椒的俱蓝国，来到了戈巴利。

仰望天际，马可隐约看见了闪闪发光的北极星，同时也想起了愈来愈接近的故乡——威尼斯，想到再过不久就可以回家了，内心虽然欣喜万分，却又有几分胆怯，他想着：这或许就是“近乡情怯”的心情了吧！

马拉巴王国的海盗

从戈巴利向西航行 480 公里，船队抵达了德里王国。德里王国内有一条大河，可以让船舶自由进出，但是却没有可以停靠的港湾。因此，船队继续前进，来到大印度西部的马拉巴王国。

马拉巴王国幅员辽阔、物产丰富，但是附近的海域却经常有海盗出没。

“经过这个海域，我们得提高警觉才行！”老水手热心地提醒马可。

“我们这么庞大的船队，应该不会被抢吧！”马可问。

“嗯！这个季节还好。”老水手说，“夏季时，海盗非常猖獗！他们连一艘商船都不肯放过。就像在大海上撒网捕鱼一样，每次都集合100艘以上的海盗船，每隔八公里就安置一艘船，简直是霸占了整个海面。更过分的是，一旦其中一艘船发现商船经过，就会立刻施放烟火通知同伙，很快地，无辜的商船就会被海盗船团团围住，所有的财宝都会被洗劫一空！”

“真是够狠的！”马可忿忿不平地说，“怎么就没人想办法把海盗捉起来吗？”

“海盗的势力太庞大了，目前大家只能够自求多福了！”老水手摇摇头说。

尽管海盗如此猖獗，护送船队还是依照原计划向前航行，一路上经过了卡南王国、坎贝王国、塞维那斯王国，几乎绕行了大印度的每一个王国，最后安全到达克斯马克兰王国，幸好，一路上并未遇上可怕的海盗。

距离克斯马克兰王国大约800公里的大海上，有两座非常特殊的岛屿。一座只有男人居住，叫作男人岛；一座只有女人居住，叫作女人岛。

两个岛的居民都有亲属关系，每年3月，男人就会来到女人岛，和妻子一起生活，等到三个月之后，再回到男人岛。原则上，女人岛的妇女会带着孩子一起生活，但是小男孩到了十二岁，就会被送到男人岛，小女孩则是到了适婚年龄，许配给男人岛上的男子。

“您知道他们为什么要这样生活吗?”马可好奇地问老水手。

“我也是听说的啦!”老水手说,“好像是因为这里的气候不适合男人和女人常年同居,否则可能会生病死掉呢!”

这种特殊的习俗让马可留下了深刻的印象。离开这两座岛之后,船队来到了索科特拉岛。岛上有许多人贩卖着各式各样的货物,然而,这些货物全都是海盗抢劫商船的赃物。但是这里最可怕的可不是海盗,而是另有其人……

“听说这里的巫师很厉害哦!”老水手说。

“怎么说呢?”马可问。

“他们会用巫术控制海洋,”老水手比划着手脚说,“他们一下子可以让海面风平浪静,一下子也可以掀起波涛汹涌,甚至可以让海上的船只翻船呢!”

“这简直就是呼风唤雨嘛!”马可望了望海面,半开玩笑地说,“看来要起风了,是不是哪位巫师已经开始作法了呢?”

“有可能哦!”老水手故作害怕地说,“幸好今晚不必开船哩!”

老水手夸张的表情,让马可不禁“噗哧”笑出声来,接着两人大笑开来,仿佛正在嘲笑那些传说中的巫师。

船队离开索科特拉岛之后,继续向西南航行约1600公里,来到了马达加斯加岛[1]。

一来到这里,马可就经常仰望天际,仿佛在搜寻什么似的。

---

1 马达加斯加岛:即今非洲东部的岛屿。

“你在找什么吗?”住在当地的一位老伯看到这位外来客老是抬头看,于是忍不住问道。

“听说这里有一种稀有大鸟,从南方飞来的,叫作‘鲁克’,你见过吗?”马可反问道。

“见过啊!”老伯说,“这种鸟只有在特定的季节才会出现。”

“你真的见过啊?”马可非常惊讶,瞪大眼睛说。

“这种鸟的身躯无比庞大,”老伯说,“张开双翼大约有十六步长,单单羽毛就有六步长哩!”

“对!就是这种大鸟,人们都称它为‘鲁克’,对吧?”马可兴奋地说,“大汗曾经派遣使者到这里来寻找这种大鸟,使者总算没有辜负大汗的托付,将‘鲁克’的羽毛取回,献给大汗。据说,大鸟羽毛的长度就有 90 根指头长,就连羽毛中间的硬梗也非常粗,周长约有两个手掌宽哩!”

“没错,它不但体型硕大,也非常凶猛,”老伯说,“事实上,它应该算是像老鹰外型的猛兽。它力气大到可以用利爪抓起一头大象,然后飞到空中,狠狠地将大象摔死,再把大象当作食物吃掉。”

这回虽然没能亲眼看见“鲁克”,但是能遇到曾经见过的人,马可感到十分幸运了。

离开马达加斯加岛,船队朝西北方向航行,来到桑给巴尔岛。这里的居民力气很大、食量也相当惊人,大约是一般人的五倍之多。岛上有许多强壮的大象,还有美丽的长颈鹿及绵羊。

“每一座岛屿真的都不一样呢!”马可带着赞赏的语气和身边的老水手闲聊。

“没错,每一座岛屿都有各自的特色!”老水手同意道。

“您都去过吗?”马可问。

“怎么可能?我哪有这么厉害!”老水手说,“您知道吗?整个大印度海域,岛屿多到可以吓死人啦!”

“有这么多吗?到底有多少呢?”

“加上那些无人岛,总共有 12700 个岛屿呢!”

这一趟护送之旅,马可虽然没到过那么多岛屿,但也算是走过许多大大小小的海岛,只是没办法一一详述所有的际遇。

离开了桑给巴尔岛,船队暂时结束了游历岛国的行程,来到阿比西尼亚[1]。

阿比西尼亚主要是由一位信奉基督教的大国王所统治,大国王之下还有六位国王,其中三位是基督徒、三位是回教徒。在这里,马可发现一个奇怪的现象,居民脸上似乎都有着不同的印记。马可请教了一位脸上也有印记的妇女。

“这样我们才能表明自己的信仰啊!”妇女道,“以我是基督徒为例,我们除了在出生时接受水的洗礼之外,还要再受一次火的洗礼。像我的额头和两颊的记号,就是用烧红的烙铁烙印出来的。如果是回教徒,就会有一个从额头延伸到鼻子的记号。这样的话,我们就很

1 阿比西尼亚:即今之东非。

容易区分出来呀!”

果然,这样的确很容易判断每个人的宗教信仰,不过,马可也发现,在这个宗教壁垒分明的国度里,不同宗教的人,也能和睦相处,这令人相当感动。

离开阿比西尼亚之后,船队随即向北航行,来到红海入口处的亚丁王国。这里有个非常繁荣的亚丁港,是这一带最大的商品交易市场,几乎是所有商船的必经之地。

船队在亚丁港稍事停留之后,又陆续造访了满是棕榈树的厄西尔城、汇集阿拉伯马的杜尔法城,以及靠近哈喇图海湾的大市镇——哈喇图城,最后终于来到波斯王国的忽鲁莫思城。望着即将靠岸的陆地,船队上上下下,全都兴奋极了,惊叹、欢呼的声音此起彼伏,久久不绝于耳。

“终于来到波斯王国了!”马可忍不住大声欢呼。

“终于要上岸了!”马飞欧也开心地喊着。

“终于要完成任务了!”尼古拉也如释重负地说。

仔细算算日子,船队从刺桐港出发到忽鲁莫思城,总共花费了18个月的时间。这趟旅程虽然精彩,但期间因为船难受伤或生病死亡的人也不在少数,可说是史无前例的护航之旅。

眼看着任务就要圆满达成了,岂知人算不如天算,令人讶异的消息震惊了所有船队的成员。大家全都瞠目结舌,阔阔真公主也痛哭失声……

返乡完成《马可·波罗游记》

忽鲁莫思这个城市对马可而言并不陌生，当初随着父亲和叔叔前往中国时，就曾经经过这个城市。

这天午后，马可与家人以及阔阔真公主，难得地聚在一块儿闲话家常。

“还记得忽鲁莫思城的热风吗？”马飞欧问马可。

“当然记得，”马可回道，“在水屋里躲热风，可真是永生难忘的经验哩！”

“是啊！”尼古拉也回忆道，“当时原本要攻击忽鲁莫思城的敌军，还被热风烤成人干了！”

“烤成人干？”阔阔真公主惊奇地问。

“没错！”马可和马飞欧七嘴八舌地向公主诉说过去的一段经历。

此时，一位侍从进来向马可通报：“波斯国王的使者求见。”马可等人立刻起身将使者引进屋内。

“波罗先生，您好！”身穿波斯服装的年轻男子道，“我是奉派来告诉您一个不幸的消息，知道您千里迢迢护送阔阔真公主来到这里，但是我们贤明的阿鲁浑国王已经逝世了……”

“不会吧！怎么可能？”马可听到这个消息震惊不已，相当焦急地说，“这该怎么办才好呢？”

“怎么会这样呢？那我该怎么办呢？”阔阔真公主伤心地哭起来。

“真的非常抱歉!”波斯使者说,“目前我国是由阿鲁浑国王的弟弟凯嘉图汗掌理朝政,是不是可以请各位前往塔来思城,亲自和凯嘉图汗一起商议对策?”

“这样也好!”马可对大家说,“我们就准备一下,待会儿一起过去好了。”

大伙儿准备了一下,随即出发前往塔来思城,拜会凯嘉图汗。

“各位一路辛苦了!”凯嘉图汗一见面便亲切地问候大家,接着就面向阔阔真公主说,“想必这位就是阔阔真公主了。”

阔阔真公主羞赧地点了点头,没有多说话。

“我跟大家介绍一下,”凯嘉图汗把一位年轻英俊的男子拉近自己身边说道,“这位是合赞王子,也就是我哥哥阿鲁浑国王的儿子!”

合赞王子简单地向大家打声招呼,便在一旁坐下。

“真是抱歉!”马可按不住焦急地问,“对于阿鲁浑国王已故的事实,我们也感到非常伤心。但是接下来,不知道凯嘉图汗打算如何处理有关阔阔真公主的婚事?”

“关于这件事我已经慎重考虑过了,”凯嘉图汗诚恳地说,“我想,合赞王子和阔阔真公主年龄相仿,或许更适合成亲呢!不知各位意下如何?”

“好啊!”马飞欧兴奋地喊道,“这倒是个好主意!”

马可与所有在场的人都觉得这是个好办法,阔阔真公主也害羞地表示同意,马上要娶得美娇娘的合赞王子,更是开心得合不拢嘴。

不久之后，合赞王子与阔阔真公主举办了盛大结婚典礼，全国人民都献上了最诚挚的祝福。婚礼结束之后，马可一家人如释重负地返回住处。

“真是太好了！”马可开心地说，“总算有个圆满的结局！”

“是啊！”尼古拉说，“我们再休息一阵子，也该开始计划应该如何回家了。”

九个月之后，马可一家人向凯嘉图汗、合赞王子和阔阔真公主正式道别，依依不舍地踏上了归乡之路。

他们一路朝向西北方前进，直到抵达黑海东南岸的达特拉布森城，他们决定在这里稍作停留，一方面采购所需物品，一方面在港口附近，打听开往威尼斯的船只。

这天，马可三人在码头边上，看见一群码头工人聚在一块儿交头接耳，像是在谈论什么天大的事情似的。他们原本想上前问问何时有开往威尼斯的船只，不料却听到一则令他伤心欲绝的消息。

“什么？您说什么？”马可简直不敢相信自己的耳朵，不断重复着同样的问句。

“忽必烈大汗已经驾崩了！”码头工人不耐烦地又说了一次。

想起了过去18年来和大汗相处的欢乐情景，马可一家人不禁悲从中来，个个泪流满面，难过地跪在地上，朝向东方磕头，以最诚挚的心情，献上对大汗的追念与祝祷。

收拾起难过的心情，马可一家人搭上前往威尼斯的船只，穿越黑海以及地中海。终于回到朝思暮想的故乡——威尼斯。

"终于到家了!"马可、尼古拉以及马飞欧在上岸那一刻异口同声地喊道。

威尼斯风光依旧,只是人事已非。25年前,马可离开自小成长的故乡,如今已是公元1295年,他也从青春年少转变成阅历丰富的壮年男子。

归心似箭的三个人,下船后直奔美丽的家园,看见熟悉的家门已经有些斑驳的痕迹,不知道家人是否一切安好,三个人不禁热泪盈眶。叩、叩、叩!清晰的敲门声响,似乎打破了镇上的宁静。

"谁啊?"应门的是一个老妇的声音,"等一下!马上就来开门。"

"我们是马飞欧、尼古拉和马可呀!"马飞欧扯大了嗓门喊道。

来开门的老妇正是马飞欧的妻子,也就是马可的婶婶。她盯着眼前这三个穿着奇装异服的人猛瞧,但似乎还是看不出所以然来。

"我的好弟妹!"尼古拉第一个认出她来,"我是尼古拉!这是你的丈夫马飞欧,还有马可啊!我们平安回来了。不认得了吗?"

老妇人仔细一看,这才恍然大悟。大家喜极而泣地抱头痛哭。

"我还以为永远等不到你们回来了呢!"老妇人边擦眼泪边说。

"这不就回来了吗?"马飞欧安慰妻子道,"你就别再哭了!"

"对啊!开心点儿!"马可道,"我们不仅从东方带回了许多礼物,还有许多精彩的故事可以说给你们听哩!"

自从马可进家门那一天起,茶余饭后就是跟邻居、亲戚、朋友们

讲述这一趟东方之旅的所见所闻。

“大可汗至少有上百万匹马……”

“大可汗拥有的土地很大，子民更是多不胜数，一个城市动不动就是上百万人……”

“大可汗的财富更是惊人，上百万的珠宝，他恐怕都不会看在眼里……”

说起这些年的东方见闻，马可总是说得言之凿凿，大家也听得津津有味，但是大部分的威尼斯人从来没听过有所谓的东方世界，更别说是亲自去过了，他们总认为马可是在吹牛，不过是个吹牛大王罢了！再加上马可动不动就用几百万来形容所见所闻，于是“百万先生”的称号，就这么传了开来。

尽管大部分的人都认为他在吹牛，但是仍然非常想知道这位“百万先生”到底又说了些什么？马可也每天不厌其烦想着要跟大家分享哪一段故事。直到有一天，意大利和热那亚战争爆发，马可决定加入战局，希望能为国家出一份心力。

结果事与愿违，马可在战役中变成了敌军的俘虏，被关进牢狱之中。

由于牢狱中的日子非常无聊，马可就常讲述东方世界的故事给狱中的同伴听，大家愈听愈有趣，就连看管监牢的狱卒也总是听得非常入神，很快地，马可的故事就传遍了整个监狱。

“马可先生，我有个建议，”一位同样沦为俘虏的比萨作家洛斯提切说道,“我来协助你,把你说的故事写成一本书,你认为如何?”

“写成一本书? 真的可以吗?”能够得到作家的帮助,马可感到又惊又喜,他不断地说着,“好啊! 真是太好了!”

1299 年,马可获得释放时,这本《马可·波罗游记》也就完成了。之后还被许多欧洲国家翻译成不同的语言,成为西方世界人们争相阅读的一本书。

尽管如此,还是有人不相信马可在书中所写的内容,不断有人在问:“这全都是吹牛的吧?”

马可也总是回答:“我书中所写的故事还不到我所见的一半哩!”这样的对话,经常出现在马可的生活中。直到 1324 年,七十岁的马可与世长辞之前,仍然在遗言中强调:“我书中所写的故事还不到我所见的一半哩!”

不论如何,马可·波罗的这部巨作《马可·波罗游记》,确实帮助欧洲人揭开了东方世界的神秘面纱,同时也兴起了探索东方世界的想法,它已然成为数百年来最具影响力的旅游笔记书。

马可·波罗重要记事

年份	年龄	事件
1254 年		马可·波罗诞生于威尼斯。 正值父亲尼古拉与叔叔马飞欧出外经商旅行期间。
1269 年	十五岁	马可·波罗与父亲初次见面。
1271 年	十七岁	马可跟随父亲尼古拉和叔叔马飞欧开始前往中国的东方之旅。 忽必烈改国号“元”，正式登基为皇帝。
1282 年	二十八岁	出任扬州知事，长达三年的时间。
1292 年	三十八岁	率领船队护送阔阔真公主前往波斯，同时展开归乡之旅。
1294 年	四十岁	忽必烈大可汗去世。
1295 年	四十一岁	历经 25 年的东方之旅，终于回到久违的故乡——威尼斯。
1296 年	四十二岁	为国前往热那亚参战失利，不幸成为敌军俘虏，被迫入狱监禁。
1298 年	四十四岁	结识作家狱友，开始着手撰写并完成《马可·波罗游记》。
1299 年	四十五岁	战争结束，获释出狱，再次回到威尼斯。 其后，马可·波罗结婚，育有三女。
1300 年	四十六岁	父亲尼古拉过世。

1310 年	五十六岁	叔叔马飞欧过世。
1324 年	七十岁	在妻子、女儿的陪伴之下，离开人世。

后记

这本传记故事是以马可·波罗的著作《马可·波罗游记》的内容为基础，设想个中情境书写而成。在《马可·波罗游记》这本书中，马可将他亲身的经历和细腻的观察，全都记录了下来。这对当时的西方世界而言，可说是带来了震撼性的影响。

当年由于地理位置的阻隔，以及交通工具的受限，东西方世界对彼此的了解相当有限。马可十七岁即随同父亲及叔叔前往中国，二十岁才抵达上都觐见忽必烈大汗。在这两三年的旅途中，不仅要翻山越岭，还要穿越可怕的沙漠地带，充满着无法预知的风险。如果没有坚强的决心和毅力，绝对不可能顺利走完全程。这样的精神相当难能可贵，值得我们学习与仿效。

对于人类世界的发展而言，马可的最大贡献就是发表了《马可·波罗游记》。这本书最初是以法文写成，后来被翻译成欧洲各国文字，成为西方人争相阅读的一本奇书。这本书揭开了东方世界的神秘面纱，让许多西方人怀抱着探索世界另一端的梦想。举世闻名的哥伦布，就是受到这本书的影响，才有机会发现美洲新大陆。

透过这本书，一路上跟着马可·波罗周游列国，见识百样百款的民俗风情、参与场面浩大的中国庆典，以及经历危机四伏的海上旅程等等，件件都是相当过瘾的事情。拥有如此丰富的人生阅历，端赖马可拥有旺盛的好奇心，以及追求新知的渴望。事实上，这份探索未知的热望，正是人类社会不断进步的最佳动力。

尽管我们可以从书本中获得许多想要得到的知识，也可以借此开启人生的智慧。然而，正所谓“读万卷书不如行万里路”，在这广大的世界之中，确实有许多地方值得我们亲身去经历、去学习、去领会。为了能够领略生命中更多的美好，读完这本书的你，或许也该准备动身去旅行了！